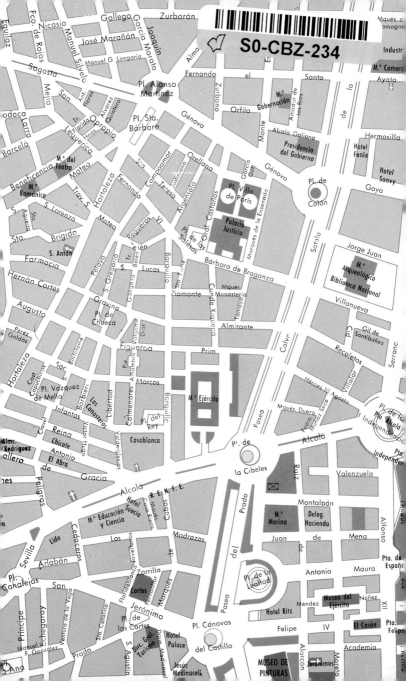

Municipal Museum. Embroidered Coat of Arms of Madrid. ➤

1ª reedición

Litografía EVEREST - Carret. León-Astorga, Km. 4,500 - LEON

MADRID

Author: LORENZO LÓPEZ SANCHO

SEGUNDA EDICION

Photographs: Oronoz
A. Gráfico del Ministerio de Información y Turismo
A. Mas
Catalá Roca
Arribas
Paisajes Españoles
Domínguez Ramos
Gigi Corvetta
Cifra Gráfica
Eurofoto

Dibujos: Goñi

EDITORIAL **EVEREST**

Apartado 339 - LEÓN (Spain)

MADRID, SPAIN'S GALLEON

Madrid, like Paris and Rome, is a city built on seven hills, which today naturally covers many more with all its annexations. The first was probably that high counterfort which stands watch over the Manzanares Valley and on which the Moors built a fortress, transformed over the centuries into a Royal Palace. Streets, lanes and squares gradually extended out from the royal castle to Las Vistillas, Santo Domingo and the Príncipe Pío hill, until it took on the form of that tightly packed laberynth which is now known as Old Madrid, the heart and core of present day Madrid.

From these hills of Madrid, it is not easy to find those lovely perspectives which are so much part of the luxuries of Paris, a pampered and well planned city. We have inherited from the Moors a preference for surprise, rather than for display, and modesty as compared with exhibition. Madrid is a tangled and somewhat theatrical town, whose charms are to be seen around corners and who dresses up at each crossroads, playing at being the capital of Andalucia, Castile, La Mancha or Levante.

At one time the city played at being French and has a certain Bourbonic charm about it, rather like Versaille perukes. For some lustrums now, it has been playing at being American and it is easy to find small Chicagoes and tiny Manhattan islands on dry land about the city. But Madrid's taste lies in that very capricious variety meaning that everyone can find something to please them in the streets and corners of the city.

The city is like Spain's last galleon, who has slackened its sails and dropped anchor in the purple seas of the Meseta (plateau) to enjoy the high clear skies. The construction companies from time to time pull down its figureheads, the lovely carved planks, to put up modern jewelry shops of concrete, iron and aluminium; but for those who know where to look, Madrid continues to be that adorable garret, where the best memories lie and it still contains steep streets, over which old chestnut trees lean from behind the walls; coats of arms which were also seen in Naples, Mexico, Utrecht; cobbled squares where Cervantes and Lope walked; convents housing religious relics and mystical chests.

There is one part of Madrid which grows old, preserving the traces of past beauties and there are others which grow vigorously with new charm, as though assuring us of the city's immortal beauty.

4

The Manzanares is no longer a mere stream, after recent channelling.——➤

Prado Museum. *La Pradera de San Isidro*, by Goya.

MADRID'S PAST (I)

Madrid can offer the curious visitor, who delves into its secrets, no less than ten centuries of history. Those who called the town Mantua Carpetana and said that it had been founded by Ocno Bianor, son of the lovely Manto and the River Tiberino, or made use of fantasy or got this information, which wisemen at times rediscover, from old, extinguished civilizations.

Ten centuries of history and milleniums of prehistory. Paleolitic man lived in the Manzanares valley, which was inhabited by giant elephants, bulls the predecessors of the bison and deer with high antlers, and where the climate was very hot and humid. The stones, pieces of iron and ceramics, which have been discovered in great profusion between the Casa de Campo (an extensive park) and the river Manzanares and other nearby very rich prehistoric fields, show that the paleolitic and neolitic cultures followed on after each other here over the endless mysterious passage of the centuries, passing through the iron and bronze ages, before coming into the historical age. The Institute of the Primitive History of Man (Instituto de Historia Primitiva del Hombre) in the Quinta del Berro, and the National Archeological Museum (Museo Arqueológico Nacional), contain a copious collection of lithic instruments from these sources.

But history probably begins to dawn when the son of Abderramán II, Mohammed I, built his castle on the very site, more or less, which is today occupied by the Royal Palace (Palacio Real). Could there have been, by the side of a stream, which is today Calle de Segovia, a tiny Visigoth settlement, perhaps the successor to an Iberian one? This would probably be one of the lost links in the dark chain of the civilizations.

The Moors and the Mozarabs built up and knitted together the primitive visigoth village and the new township around the first castle. The first Arab fortifications were built separating the citadel from the town. The great wall of lime and stone began to take shape, topped by elegant rubblework in brilliant flint, and embracing the town: two hundred and sixty two thousand square meters, inhabited by twelve thousand five hundred people who occupied two thousand dwellings.

Juan de Mena was to say in his day about that far distant Madrid that «it was walled-in by fire», as the sun would reflect on the hard flint, and Marineo Siculo, with true Sicilian exaggeration, counted up to one hundred and twenty eight towers on the fortifications of this town, which had probably been called Mayryt, Magerit, Maierit in the Arabic tongue; Matrice, Matr-it in the Visigoth or Latin idiom.

8

National Archeological Museum. Paleolitic instruments from the banks of the Manzanares.

MADRID'S PAST (II)

Ramiro II of León dismantled this Moorish town in 939. Abderramán III, of Córdoba, restored it and after an assault by Fernando I el Magno (the Great), Alfonso VI, the conqueror of Toledo, it was given up and incorporated into the Crown of Castile in 1083. It is recounted that the Christian King, when he saw one of his soldiers agilely scaling the Moorish wall, said, «He looks like a «gato» (cat)». The brave soldier took on «Gato» as his surname. Over the centuries, all the natives of Madrid have been called «gatos».

According to tradition, in a dado in the wall, more or less where the streets of Mayor and Bailén meet, the hiding place of a statue of the Virgen, hidden there more than three centuries earlier, was discovered. She appeared before the conquerors, who called her the Virgin of La Almudena and made her the town's patron saint. The original statue was burnt during the reign of Henry IV, but the tradition and patronage live on. This is also the case with the tradition surrounding a farm labourer called Isidro, a servant of Iván de Vargas, who was born in 1083 and who was canonized by Gregory XV because of his miracles, although the people of Madrid had made him a saint many centuries before.

The Visigoth, Mozarab, Christian town began to progress slowly. The kings granted it its privileges. The streets began to lengthen. Humble walls, beyond the conquered ones, began to enclose the town. Churches and monasteries were built and inhabited by monks. The Almoravide king, Tesufin, dismantled it in 1109. Alfonso VIII granted him the «Fuero de Madrid» (privilege of Madrid). The town was now governed by knights and honourable men, who elected the Governor and the Judges. There were now ten parishes: Santa María, San Andrés, San Pedro, San Justo, San Salvador, San Miguel de los Octoes, Santiago, San Juan, San Nicolás and San Miguel de la Sagra, because most of the inhabitants came from La Sagra or La Mancha, Don Quijote's future native land.

Soldiers from Madrid distinguished themselves in the famous battle of Navas de Tolosa and tradition relates that Santo Domingo and St. Francis of Assisi came to watch the building of the monasteries dedicated to them, one in the suburbs and the other close to the Puerta de Moros (Moors' Gate). By the beginning of the XIV century, Madrid was sufficiently important for parliament to be held there. In 1393 Madrid was the first city to proclaim Henry III king, a child of eleven years of age. The city, therefore, began to unconsciously show its ability and vocation as a capital of the nation.

Statue of the Virgin of La Almudena, the city's patron saint ⟶

YMAGEN DE MARIA SANTISIMA
DE LA ALMUDENA
OCULTADA EN ESTE SITIO EL AÑO 712
Y DESCUBIERTA MILAGROSAMENTE EN EL DE 1085

The Calle de Segovia cuts right through the heart of old Madrid.

The Manzanares. The river valley was intensely populated by prehistoric man.

Hall of the house of Juan de Vargas. In the background statue of San Isidro Labrador.

MADRID'S PAST (III)

Henry III extended and improved the fortress. The architects built houses and mansions. Henry IV founded the monastery of San Jerónimo de «El Paso» on the road to El Pardo, which was later transferred to Madrid. The Catholic Kings, Ferdinand and Isabel, who frequently resided at the castle, had the gates and walls unmanned in 1476, which gave the town a decisive push forward. The regent, Cardinal Cisneros, declared from the palace of the Lasso de Castilla family, in the Plaza de la Paja, at that time the centre of Madrid, the famous phrase «These are my powers». The saying goes that Charles V, the conqueror at Pavia, held Francis I of France prisoner in the Lujanes tower. The community opened up the Puerta del Sol and in 1561 Philip II established his court in the town, whilst the monastery of San Lorenzo de El Escorial was being built.

At that time Madrid had a population of 25,000. At the end of the century, Madrid was consolidated as capital of Spain by Philip III and the population increased to 75,000. The original 85 hectares of Madrid were converted into 185. The Segovia bridge over the river Manzanares was built and the Calle de Segovia, the origin of the town, was urbanized.

During the rule of the Austrian Kings, the town stretched out and churches and monasteries were built. The convent of Las Descalzas Reales, the monastery of La Encarnación (The Incarnation), the convent of the Comendadoras de Calatrava, the church of San Isidro, San Plácido and Santiago. In only two years (1617-1619) Philip III had the Plaza Mayor built. This great square now became the centre of Madrid and Spanish life, dethroning the Plaza de la Paja, as it had done in turn to the Plaza del Alcázar. Jousts, tournaments, religious festivals, religious plays, all took place in this lovely plaze. Madrid ploughed its way on through history like a famous ship. There were one hundred thousand inhabitants by the beginning of the XVII century when dynasty was extinguished and the Bourbons became successors to the throne.

Charles III was Madrid's great king. Philip V built the Royal Palace and the Toledo bridge, but Charles III was responsible for the Prado Museum, the Puerta de Alcalá, the church of San Francisco el Grande, the first road planning programmes and the town, which had been until then an insignificant township, a pintoresque mixture of pomp and misery, was made European and was garlanded. In one century, Madrid, which by the end of the XVIII century had 175,000 inhabitants and covered a little more than 1,000 hectares, increased to a population of half a million. This vertiginous increase has continued on into this century, in which the population has now reached three million. The city's area has been multiplied by ten and its jurisdiction extends to El Pardo, Fuencarral, Hortaleza and Barajas, covering some six hundred million square meters of extension.

The historic street lamps of old Madrid.

Aerial view of the Royal Palace, around which medieval Madrid was built.

OLD MADRID (I)

Of all that endless prehistoric age and all the successive waves of humanity, who settled on the banks of the Manzanares, only thousands of fragments are left of pots, stones, instruments in bronze and iron, which can only speak with eloquence to the specialists. There was an Iberian Madrid, a Celtic Madrid and even a Roman Madrid, the archeological traces of which do not coincide with the site of the town we know today. Although there is talk of a Visigoth settlement, on the banks of a no longer existing stream, a tributary of the Manzanares, in a small valley situated between the hills of the castle and Las Vistillas, in what is today Calle de Segovia, the first really historical information of the city does not go back further than the second half of the IX century.

Muslem Madrid, converted into a fortified town by Mohammed I, had at that time a military enclosure and another civil one on one side of the fortress known as «al-mudaina» —today Almudena—, covering about thirty one hectares of land, constituting the nucleus and core of the present day city. On the site where the Palacio de los Consejos (Council Palace) stands today in the Calle Mayor, stood the gate, known up to the XVI century as Arco de la Almudena, which communicated the fortress with the city. The city, in turn had its own gates, called respectively Puerta de Moros, Puerta Cerrada, Puerta de Guadalajara and Puerta de Valnadu. They no longer exist but their names live on in the toponymy of Madrid.

So the Puerta de Moros can be found to-day in what is now Plaza del Humilladero; the Puerta de Guadalajara in the Calle Mayor situated between Plaza de San Miguel and Calle de Milaneses; the Puerta de Valnadú was located approximately between the Teatro Real (Royal Theater) and Calle del Espejo and the Puerta Cerrada in the small square which bears its name to-day. Thus we have the key points to the medieval township of Madrid, which was enclosed in a perimeter more or less defined by the Plaza de Isabel II, the beginning of Calle de Vergara, from there in a straight line to where the Plaza de la Armería joins up with the Royal Palace and then onward behind the new cathedral of La Almudena, crossing Calle de Bailén, via Yeseros and calle de Don Pedro to Cava Baja, once the city wall fosse, Cuchilleros, Cava de San Miguel, Mesón de Paños and Calle de la Escalinata back to the Plaza de Isabel II.

A quite city, reminiscent of passed centuries... ⟶

The rooftops of Madrid, under which the curious «Diablo Cojuelo»
(The lame Devil) peeped.

Spur stone, so characteristics
of the streets in the old quarter
of Madrid.

The popular squa-
re of La Puerta
Cerrada, reminis-
cent of ruined city
walls.

The very singular
Cuesta de los
Ciegos.

The Calle del Conde, as many others in old Madrid, still has spur stones.

The church of San Pedro el Viejo and its elegant Mudejar tower (XIV c.)

Equestrian statue of Philip III, by Pietro Tacca and Juan de Bolonia.

Municipal Museum. Festivities in the Plaza Mayor, in the XVII c.

Aerial view of the Plaza Mayor.

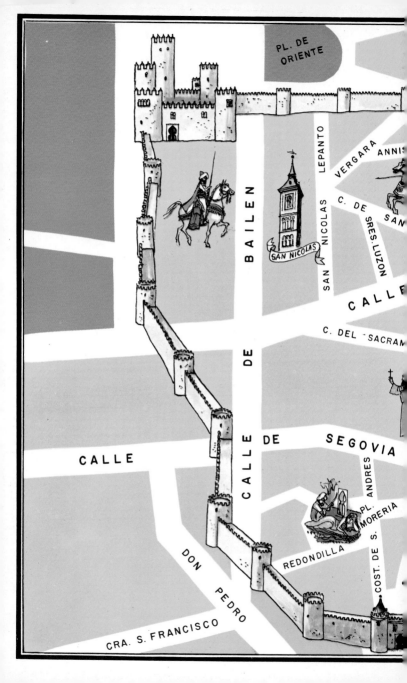

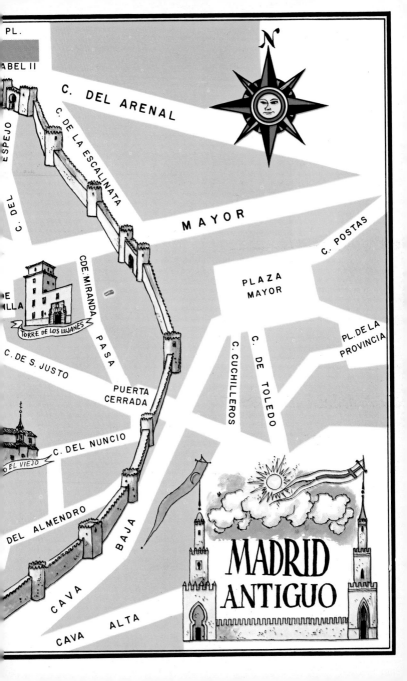

Aerial view of the centre of Madrid, with the popular Puerta del Sol.

The Bear and the arbutus:
the heraldic symbol of Madrid.

OLD MADRID (II)

Seven centuries of the life and history of Madrid are enclosed inside this contour; the centuries from the time when the Moorish fortress was built by Mohammed I to when Madrid became the capital of Spain during the rule of Philip II. There are very few material memories of these centuries, but numerous traditions and legends live on with indefinable charm in the backwaters of those streets, which are in general narrow, full of contrasts and surprises, thanks to the mixture of styles and periods. Because that medieval Madrid also became the renaissance city, which was populated, during the dynasty of the Austrias, with palaces, churches and monuments, many of which still stand to-day.

Streets such as Calle de la Morería, Calle del Granado, Calle de Baños Viejos, between Calle de Don Pedro, formerly called Calle de la Alcantarilla, and the square of El Alamillo, praised by Emilio Carrere, still breathe that atmosphere of an old Moorish district, although the former lords of the town were not the only ones who lived there under Christian rule.

But the old gates were pulled down by order of the Catholic Kings and the city grew and was transformed. The majority of the mansions and palaces fell and now only a handful of buildings of the time prior to the city becoming capital of Spain, still stand to-day of that forward looking Madrid of the Middle Ages and the dawn of the Renaissance.

THE TOWER OF SAN PEDRO EL VIEJO, in Calle del Nuncio. It is a relic of the primitive church and corresponds to a type of Mudejar art which can be found in some of the villages around Madrid. The adjacent church was built in the XVII century in the renaissance style, although it does contain some vestiges of the preceding gothic period. An altarpiece attributed to Churriguera and some sculptures by Manuel Gutiérrez, a XVII century religious sculptor, are the most interesting contents of this old church, which is by no means as remarkable as the tower, whose inclination has been as much as sixty five centimeters referred to the base. However, the tower has now been conveniently consolidated.

SAN NICOLAS DE LOS SERVITAS: The lovely Mudejar tower is of the Muslem type minaret, although it is thought to be XII century, and therefore built by the Christians, because of the repeated series of arches. The bell tower, which is neo-classical in style, and the Philippine spire topping it have captivated the purity of style of its mudejar twin San Pedro el Real. The annexed church, which has also been restored, contains a lovely tumid arch at the end of the presbytery and has a magnificent caissoned ceiling.

32

Church of San Nicolás de los Servitas and its original Mudejar tower ⟶
(XII c.)

Bishop's chapel. Altarpiece b
Francisco Giralte (XVI c.)

Bishop's Chapel. Tomb of
Don Gutierre de Vargas Carvajal, probably by Giralte.

Bishop's chapel. Detail of the
carvings on the door, attributed to Villalpando (XVI c.

Bishop's Chapel. La Piedad, altarpiece by Giralte.

OLD MADRID (III)

CAPILLA DEL OBISPO (Bishop's Chapel), in the old Plaza de la Paja, in which tradition holds that Cardinal Cisneros pronounced his famous phrase: «these are my powers», which was not exactly the case as occurs with all famous phrases. It was given this name because construction was begun by Don Francisco de Vargas, adviser to the Catholic Kings, and was completed in 1535 under the supervision of his son, Don Gutierre de Vargas Carvajal, who was Bishop of Plasencia.

Until 1535 The Vargas family housed there the urn containing the mortal remains of San Isidro, but when they lost the lawsuit with the parish they had to return it to the neighbouring church of San Andrés. It consists of a beautiful gothic style aisle, enriched by a splendid altarpiece by the Palencia artist Francisco Giralte, polychromed by Juan de Villoldo, both perfect executions. It would appear that Giralte was also the author of the three extraordinary tombs with the praying statues of Don Francisco de Vargas, Doña Inés de Carvajal and their son, the bishop, accompanied by three relatives, including the graduate Barragán, head chaplain of the chapel. The tombs, which are in the plateresque style, are in alabaster.

SAN JERONIMO EL REAL. The Jerome monks built this monastery between 1503 and 1509 with the help of the Catholic Kings, in the midst of orchards and olive groves, on a hill outside the city walls. In order to move closer to the town, they abandoned the original monastery calle de Santa María del Paso, built close to the Manzanares, on the Pardo road, to commemorate, on the request of King Henry IV, the brave defense of the Paso Honroso (a contest of bravery between two knights) by his favourite Don Beltrán de la Cueva, in honour of the Queen Doña Juana.

The present day building is very different to the original construction in Mudejar brick. Four successive reconstructions changed it to its present physiognomy, which moves away somewhat from the gothic style of the Isabeline churches built in Avila, Segovia and Toledo. There are, however, still some elements in the main façade and in the lateral walls, which have been reconstructed or replaced with the flint of the primitive work and brick of the same colour. The church also contains a XVII century cloister.

A Parliamentary Session called by Ferdinand the Catholic King was held in San Jerónimo in 1510; and as the monastery contained a royal quarter built by Luis de Vega, Philip II's architect, the oaths of the Princes of Asturias, articles of the Military Orders and royal weddings, such as that of Alfonso XIII in 1905, were also held here.

San Jerónimo el Real. Exterior.

OLD MADRID (IV)

DESCALZAS REALES. Commissioned by the youngest daughter of Charles V and Isabel of Portugal, Princess Juana of Austria, the craftsmen Antonio Sillero and Juan Bautista de Toledo, the architect of El Escorial, began work in 1559 on the transformation of the old palace, which probably belonged to King John II, where the princess was born, into the convent today known as Descalzas Reales. The princess, Juana of Austria, wanted it for housing the discalced Franciscan nuns of the Order of Santa Clara, which she had brought from the convent in Gandía, founded by Pope Alexander VI.

The church, under the direction of Toledo, was completed in 1564. The palace was transformed by Sillero using brick and rubblework, in accordance with the style of the time. In spite of later reforms by Diego Villanueva in 1755, the building is a valuable example of the moment in which the reanissance marked the end of the ogival period, a style which was predominantly medieval. The convent houses a very rich artistic collection, as it was very much protected by kings and pontiffs. One part has been converted into a museum and is open to the public. Jewels, reliquaries, tapestries of great beauty and value, carvings by Becerra and Pedro de Mena, paintings by Sánchez Coello, Tiziano and other masters and many other pieces form a real art treasure presided over by the praying statue of the founder, executed by Pompeyo Leoni, installed in the church next to the Epistle.

LUJANES TOWER. Of what was once a Toledo type palace, bought by the Lujanes family from the Ocañas, only a strong tower remains, decorated with pillars and clay caissons, with a gothic front facing on to the Plaza de la Villa, with great cut out voussoirs and the three coats of arms of the Lujanes family, a lovely horseshoe arch laeding out onto Calle del Codo, which still contains the old studden wooden door. Don Pedro de Luján had that gothic door opened between 1472 and 1494, as an entrance to the building after it had been divided up by his father. The story goes that the French king, Francis I was held prisoner in this tower after the battle of Pavía, but there are no historical documents to justify this tradition.

The so called *Casa de Cisneros*, built during the middle of the XVI century by Benito Jiménez de Cisneros, the Cardinal's nephew, fits very well into the physiognomy of the Plaza de la Villa and a very notable front of this building gives on to Calle del Sacramento.

Exterior of Las Descalzas Reales ⟶

Las Descalzas. Dolorosa, by Pedro de Mena.

Las Descalzas. Detail of the praying statue of Doña Juana de Austria, by Pompeyo Leoni in marble.

Cisneros' House, façade looking on to the Calle del Sacramento (XVI c.)

House and tower of the Lujanes family, in the Plaza de la Villa (XVI c.)

MADRID UNDER THE AUSTRIAS (I)

Only one hundred and thirty nine years passed from the time when Philip II made Madrid the capital of Spain to the extinction of his dynasty. This was a prodigious century and a half which marked the conversion of the town into the capital of the world, from a small insignificant little town with a population of three thousand inhabitants in 1513 according to Fernando de Oviedo, to a tumultuous city with more than forty thousand inhabitants. There are some who state that the population reached one hundred thousand in the XVII century.

A provision of the Council of Castile, dated in September 1567, gives us the contour of the wall which surrounded the town the previous year. The salient points of that perimeter were at the Puerta de Toledo, located between Calle del Humilladero and Calle de la Arganzuela; calle de Lavapiés, Puerta de Antón Martín, in Calle de Atocha; Carrera de San Jerónimo, between the streets now known as Calle de Echegaray and Calle de Ventura de la Vega; Puerta del Sol, via Cedaceros, continuing on down Peligros towards Puerta de Santo Domingo and beyond to the Castle, completing the circle more or less in Puerta de Moros.

By the end of the century the town had duobled that area and continued to grow in accordance with its lines of communication, without any rational plans similar to those used for Spanish foundations in the New World. Madrid was a meeting point for merchants, diplomats, soldiers, crooks, princes and church dignataries from all over the world. Navarrete even wrote that «all the dirt of Europe has come to Spain, without a single lame, maimed, crippled or blind person being left in the whole of France, Germany, Italy, Flanders or even the rebel islands, who has not been to Castile».

The material reminders of the reforms and creations executed during the reigns of the three Philips, Philip II, Philip III and Philip IV in those one hundred and thirty nine fabulous years, which still stand to-day, are as follows:

PUENTE DE SEGOVIA (Segovia Bridge). This was built in 1582 or 1584 by Juan de Herrera, the architect of the Monastery of El Escorial; it cost, according to documents of the period, more than 200,000 ducates. It has nine uneven half point arches, which from the high, spacious one in the centre, decrease symetrically to the right and left. It is made of granite ashlars which are extended to form dressed wings on both sides and the parapet is crowned with large granite stone balls, which are very characteristic of Herrera's severe taste.

Segovia bridge, by Juan de Herrera. ⟶

MADRID UNDER THE AUSTRIAS (II)
THE PLAZA MAYOR

King Philip III had the old square, known as Plaza del Arrabal, pulled down and built up another according to plans submitted by Juan Gómez de Mora. With incredible speed, the magnificent square was built between 1617 and 1619. It consisted of one hundred and thirty six houses with arcades. There were 437 balconies and 3,700 people were housed there. Gómez de Mora completed the construction of the Casa de la Panadería (Bakery), which had been initiated by Sillero, occupying the centre of the southern side of the square. It is very expressive of the tone of the period that the ground floor should be dedicated to the town bakery, whilst the main floor, with its splendid rooms should be used by the kings for presiding, from the balcony, the magnificent festivals held in the square. Another similar building on the north side was used as a butcher's shop for the town. The guilds of clothiers, hemp and silk merchants, hardware dealers and haberdashers set up business in the premises under the arches, making the square the centre of life in Madrid.

Three devastating fires, in 1631, 1672 and 1790 and later changes, have somewhat altered the original aspect of the Plaza Mayor, which however continues to reflect the taste and feel of Spanish life in the XVII century.

To-day the Plaza Mayor is a lovely, peaceful corner of old Madrid; but from the time it was built right up until the last century it was the main setting for a town which has grown up raithful to the spirit of being the great stage set for Spain. The beatification of San Isidro was the first popular festival to be held here; but the people of Madrid also saw Rodrigo Calderón, once a powerful minister in Philip III's government, being beheaded there, some «auto-dá-fé» of the Inquisition, the festivals on account of the canonization of San Isidro, San Francisco Javier, Santa Teresa de Jesús and San Felipe Neri; festivals in honour of the Prince of Wales, who came in 1623 to marry the Infanta Doña María of Austria, Philip IV's sister, a wedding which never took place. The citizens also saw bullfights and «cañas» (a kind of tournament on horseback), as well as ceremonies for the proclamation of kings, from Philip IV to Isabel II.

◄— Plaza Mayor, a harmonious rectangle right in the heart of Madrid.

The popular Arco de Cuchilleros, one of the accesses to the Plaza Mayor.

Interior of the Arco de Cuchilleros.

Convent of La Encarnación. The façade of the church by Juan Gómez de Mora is one of the most characteristic of the XVII c. style in Madrid.

Convent of La Encarnación. A recumbent Christ, by Gregorio Fernández

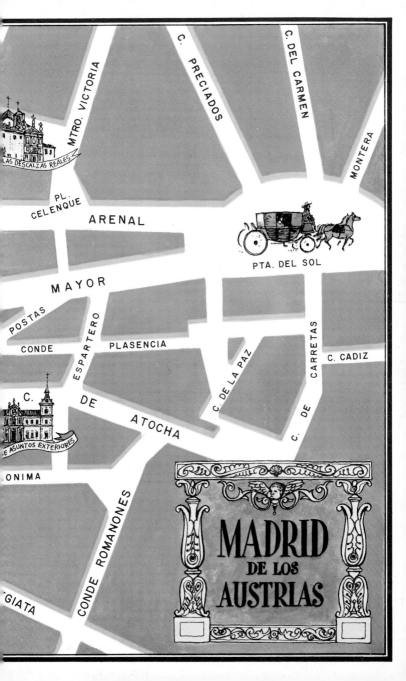

Façade of the Town Hall, in the peaceful Plaza de la Villa.

Town Hall. Cupola of the old chapel, decorated by Palomino (1696).

MADRID UNDER THE AUSTRIAS (III)

SAN ANTONIO DE LOS ALEMANES. The church, which is located in what is to-day known as Corredera de San Pablo, was built between 1624 and 1626 under the direction of Francisco Seseña, according to plans drawn up by the Jesuit Pedro Sánchez. Although there is nothing very remarkable about the outside, the nave, which is eliptical in shape, topped by a large cupola painting by Miguel Carreño and Francisco Ricci, contains a magnificent altarpiece by Miguel Fernández and is decorated by the painter Lucas Jordán, with illustrations of the life of the saint and portraits of various kings. The city's Hermandad del Refugio y Piedad (a community offering asylum and mercy) based the administration there of one of the most famous Madrid institutions, which was known as the «Bread and egg round», and which still continues its charitable activities.

SAN PLACIDO. The San Plácido Convent of Benedictine Nuns, founded in 1623 by Doña Teresa Valle de la Cerda and Don Jerónimo de Villanueva, is situated in Calle del Pez. Its main treasure was Velázquez's famous painting of «Christ on the Cross», which is now hung in the Prado, but it still has some other valuable works such as a reclining Christ by Gregorio Fernández, four carvings by Pereira and paintings by Claudio Coello and Ricci. The story goes that Philip IV donated Velázquez's famous painting to make amends for one of his amorous adventures.

EL BUEN RETIRO. The Conde-Duque de Olivares created this royal property called Buen Retiro to distract Philip IV from government problems, by extending the original grounds of the monastery of San Jerónimo El Real, which the royal family had used as a retreat eversince it was founded. The palace was built by Alonso de Carbonell, in accordance with plans drawn up by Gómez de Mora and Giovano Battista Crescendi, who greatly cut down on the magnificence of the project for reasons of economy and lack of time. Only two buildings remain today of the magnificent project: The Salón de Reinos, which now houses the Army Museum and the «Casón», which is used for large scale art exhibitions.

The Retiro has lost much of the original area it covered, as the site covered now by the Communications Building (Post Office) was in the last century the King's Orchard and the first Zoo. However, it still continues to be a very lovely park, with gardens, ponds and various buildings, completely encircled by a wrought iron fence. There are several entrance gates, the most important being in Plaza de la Independencia. Statues, monuments, palaces, special gardens, such as the garden of Don Cecilio Rodríguez, a modest zoo and other installations, maintain the splendour of this great lung of the city, which was passed over to the City Council for public use after the 1868 Revolution.

57

← Benedictine Nuns of San Plácido. Main Altarpiece, representing the Annunciation, by Claudio Coello.

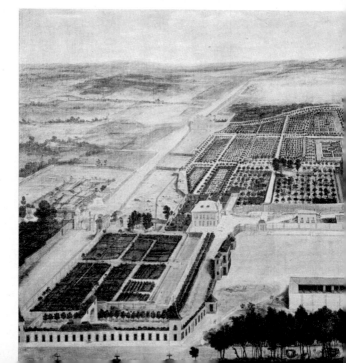

Benedictine Nuns of San Plácido. Recumbent Christ by Gregorio Fernández.

View of the old Buen Retiro Palace, canvas attributed to Mazo, kept in the Royal Palace.

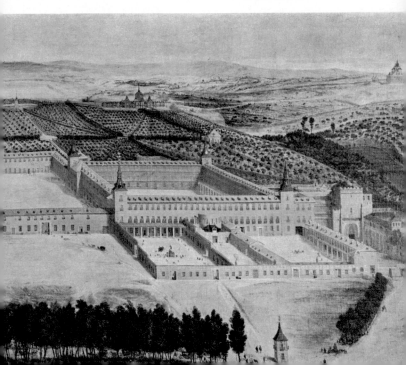

The Buen Retiro «Casón de Bailes» (Ballroom), today the magnificent
Exhibition Hall.

Army Museum, once the Salon de Reinos of the Buen Retiro Palace.

The Retiro. The «Artichoke» fountain and detail of the monument to
Alfonso XII.

MADRID UNDER THE AUSTRIAS (IV)

COMENDADORAS CALATRAVAS. Only the church in Calle de Alcalá remains of the old convent of La Concepción Real de Comendadoras of the Order of Calatrava, originally from the province of Guadalajara, which must have been built after 1656, as it is not marked in Texeira's map. We do not know who the architect was, but the exterior was reformed by the architect Juan de Madrazo, who applied the renaissance style which is quite of out keeping with the baroque taste of the church. The royal coats of arms of Charles II alternate with large Calatrava crosses as an ornamental motif. The high altar is baroque with polychromed statues by Pablo González Velázquez. The Orders of Calatrava and Montesa hold their capitular meetings here.

SAN ANDRES AND THE CHAPEL OF SAN ISIDRO. Fernández de Oviedo wrote about the primitive medieval church, which no longer exists, as follows:

«San Andrés, which some call San Isidro after the body of a saint, which they say lies there and who did many miracles, but who has not been canonized». The «Privilege of Madrid» which dates from 1202, includes it as one of the ten churches to be found within the city walls. The present church of San Andrés, which was commissioned by Philip IV in about 1657, is in a ruined state, but is now slowly being reconstructed. The chapel of San Isidro housed from 1669 to 1769 one of the best examples of Madrid baroque art, a work by Pedro de la Torre, containing the mortal remains of Madrid's patron saint, which are now kept, next to those of his wife Santa María de la Cabeza, in the Cathedral.

CATHEDRAL OF SAN ISIDRO. This church which was built between 1622 and 1664 by the Jesuits with a large inheritance left them by Philip II's sister, Doña María, Empress of Austria, is situated in Calle de Toledo. The plans of the Jesuit Pedro Sánchez were executed and modified by Francisco Bautista, a brother of the Company.

Three monumental doors give access to the front at the top of a large stairway. The church is in the form of a Latin cross, with one nave, a large cupola and six side chapels. It is another great example of Madrid's baroque art. The church was faithfully reconstructed after it was burnt down in 1936. The saints Isidro and María de la Cabeza, transferred there by order of Charles III, are worshipped there.

The Retiro. Fountain of the Three Graces. Monument to Ramón y Cajal by Victorio Macho.

Chapel of San Isidro, a magnificent example of Madrid baroque. By
Pedro de la Torre.

Cathedral of San Isidro. Exterior.

MADRID UNDER THE AUSTRIAS (V)

CONVENT OF LA ENCARNACION. It was founded by Philip II and Doña Margarita de Austria for the Discalced Nuns of the Order of San Agustín. Work began in 1611 by the architect Juan Gómez de Mora, who created one of the most characteristic types of what is the Madrid style, and the building was very quickly completed in 1616. The relief on the front of the Annunciation is attributed to Miguel Angel Leoni. Ventura Rodríguez renovated the interior, transforming it in accordance with his neoclassical style. There is a lovely fresco in the presbytery by Francisco Bayeu, canvases by Carducho and a high altar with two marble angels, which are the work of Juan Pascual de Mena. The convent has recently created a Museum, containing some notable carvings by Gregorio Fernández, Pedro de Mena, José de Mora and Pedro Roldán, amongst others, and some good paintings by Carducho, Antonio Pereda, Carreño, Ribera, Luini, etc.

OTHER IMPORTANT BUILDINGS of the period of the Austrias are: the church of *Las Comendadoras de Santiago*, in Calle Quiñones, built in 1668, whilst Charles II was still a minor. The sacristy built by Francisco Moradillo, Ferdinand IV's architect, is the best in Madrid the *Casa de la Villa* (Town Hall) was designed by Juan Gómez de Mora and was reformed in 1787 by Villanueva, who opened up the colonnade to the Calle Mayor. There is also the *Palace of the Duke of Uceda*, also designed by Gómez de Mora, in the so called El Escorial style, situated in Calle Mayor and now occupied by the General Captaincy, after being used for sometime as the headquarters for the Council of State. The *Cárcel de Corte*, situated in Plaza de Santa Cruz, now houses the Ministry of Foreign Affairs. The building dates back to 1634 and its design is attributed to Juan Bautista Crescenzi. It is a building with elegant, clear proportions, both inside and outside and that is why Count Laborde, a Frenchman visiting Madrid sometime during the last century, marked it out as an exception to his general censorship of XVII century Madrid architecture, declaring that it was the «work of a fortunate genius». It is generally thought today that the architect was Antonio Carbonell.

The splendour of the reigns of the Philips is still reflected in the museums which preserve the layouts for the urban transformation of Madrid, especially the Municipal Museum, which has now been opened in Calle de Fuencarral. Some statues, such as the equestrian ones of Philip III and Philip IV can be considered as amongst the best in the world. The former, which stands in the middle of the Plaza Mayor, is the work of Pietro Tacca and Juan de Bolonia; it was cast by Tacca himself, according to a design by Velázquez and a sketch by Martínez Montañés. The combined effort of these three great artists produced one of Madrid's most beautiful monuments.

← Las Calatravas. Exterior.

Ministry of Foreign Affairs, former Parliament Prison (1629-1634).

Comendadoras de Santiago. Sacristy (XVIII c.). ➔

Town Hall. Monstrace of the Corpus, by Francisco Alvarez (XVI c.).

MADRID UNDER THE BOURBONS (I)

All Madrid's ostentatious splendour came to an end with the death of Philip IV. Cervantes, Lope, Quevedo had passed away before the king. Arras, Perpignan, Rosellón, Artois an Portugal had left the Spanish court and the town could not help suffering from so many losses. Under the weak king, Charles II, who sadly marked the end of the Austrian dynasty, Madrid completed its dissolute XVII century in bankruptcy. There was industrial and mercantile decadence, the urban services went to ruin, and all those, once attracted by Spain's triumph left.

Philip V, the first king of the new Bourbon dynasty, arrived in Madrid in the midst of a crash of arms and brought new life, in the French style, to the Spanish throne. Teodoro Ardemans' Orderlies polished up Madrid and set it running at the regular, progressive rate of Paris. The Royal Accademies of Language, History and Medicine were founded. The Royal Library was established. The Royal Tapestry Factory was set up and work began on the construction of a new Royal Palace to replace the old castle which had been destroyed in the fire in 1734.

The new fountains in Antón Martín and Puerta del Sol; the Puente de Toledo, the theaters of El Príncipe and Los Caños del Peral, the Orphanage of San Fernando and the Barracks of the Corps Guard, all testify to the regenerating impulse of a rule.

Ferdinand VI followed in his father's footsteps by building las Salesas and creating the San Fernando Royal Accademy of Fine Arts, the Escuelas Pías, the Public Granary, the General Hospital. Madrid was reviving, but held in by the wall built during the reign of Philip IV, it did not gain in extension but in the height of the buildings, with the same oppressions and jams in the city of previous centuries. Charles III was the best king in History for the city of Madrid. He modernized the capital, bringing it up to European standards, he gave it the Prado, the Botanical gardens, the Puertas or Gates of Alcalá and San Vicente, the Astronomic Observatory, the church of San Francisco el Grande. He had the Paseo del Prado transformed into a wide boulevard by Hermosilla and Ventura Rodríguez, filling it with beatiful fountains and extending it to include the Paseo de Recoletos and La Castellana, making it an axis of the city.

Royal Palace. South side. ➞

Royal Palace. The great main staircase and the sumptuous Gasparini room.

Royal Palace. The magnificent Throne Room. The excellent paintings on the ceiling are by Tiepolo.

A ATQVE ITALO ... PVLSO
ATO VALLVM TRA...
OST HVNC COELI...
VALLOQVE FVGAT... ...SVP...

TVRCA ITERVM CEDIT: TENVI COMITANTE CATER...
REX VENIT HASAMVS. LVDOVICVS MARCHIO PVGN...
SAVCIVS EXCEDIT: CAROLVS QVVM TVRBA LABORI...
SVBVENIT, AC PVLSVM TORMENTIS EXVIT HOSTE...

Royal Armoury. Charles V's armour at the battle of Muhlberg.

Royal Armoury. Charles V's armour.

Royal Palace. Portrait of Isabel the Catholic Queen, XV century panel.

MADRID UNDER THE BOURBONS (II)

Madrid began to take on a new aspect, which is the one still to be seen in the old part of the town. Ferdinand VII could justify his rather inocuous reign with the creation of the Prado Museum, and Isabel II all the disorders of her reign with the supply of water brought from Lozoya, a work organized by her minister Bravo Murillo. This was to greatly influence the demographic movement of the capital in that the population of Madrid, which stood at 200,000 inhabitants in 1840, was to increase to 300,000 only a few years after the canal known as Isabel II was inaugurated. The Teatro Real (Royal Theater) and the Palacio de las Cortes (Parliamentary Palace) were built during Isabel II's reign. Passing through an ephimerial Republic after the fleeting reign of Amadeo de Saboya, Madrid came right into the Modern Era. New districts such as the Marqués de Salamanca grew up, the University City was created under Alfonso XIII and modern buildings went up such as the Banco de España, the Ministry of Expansion and the Stock Exchange. The Gran Vía began to be a narrow, suffocating area. When the Republic was set up in 1931, after dethroning the Bourbons, Madrid had already firmly started on its way through the XX century.

PALACIO REAL (Royal Palace). The architects Juan Bautista Sachetti, Ventura Rodríguez and Francisco Sabatini designed the new Royal Palace situated on the site of the burnt down castle. This is a beautiful, magnificent building with a French air on the outside and Italianate on the inside.

The work was exasperatingly slow and it took twenty six years to make the new palace habitable with its four flours, built in stone around four proportioned courtyards. The building rests on a high ashlared socle, which is the ground floor, and consists of an intermediate floor, a main floor decorated with ionic columns and doric pilasters, another intermediate floor and finally the top floor with windows, under a very protruding cornice topped by a balustered attic. The composition is noble and harmonious, allowing for a series of lovely receptions rooms and intimate lounges, chambers and bedrooms. The staircase is by Sabatini and the banqueting hall, known as the «Salón de Columnas» (The hall of Columns) is decorated by Corrado Giaquinto. The Gasparini room is a miracle of decorative elegance; the Charles III room, where the king slept, was decorated much later by Vicente López. The Porcelain room has no equal in any of the royal palaces in Europa and the Throne Room makes a magnificent setting with the gilded bronze lions guarding the throne, the consoles, sculptures, clocks and elegant candelabrums under the beautiful composition of the vault decorated by Tiépolo. As a whole, the Palace is an important museum of tapestries, clocks, furniture, sculptures, paintings and porcelain, a large part of which is open to the public. There are special guides for the visit.

Toledo bridge. Detail of one of the niches.

MADRID UNDER THE BOURBONS (III)

PUENTE DE TOLEDO (Toledo Bridge). After a proposal made by the Marquis of Vadillo, the town's chief magistrate, work began in 1718 on the construction of the present bridge on a site over the Manzanares where several not very solid bridges had crossed the river eversince at least the XVI century. Planned by Pedro de Ribera, it is a lovely baroque construction with nine half point arches made of granite ashlars. Ornate pinnacles adorn the parapet with two niches on either side. One contains San Isidro taking his son out of the well and the other Santa María de la Cabeza. Both statues are in sandstone carved by the Asturian Juan Ron. Two granite towers seems to protect the two accesses to this excellent, wide bridge.

CHURCH OF SAN MARCOS. It commemorates the end of the War of Succession, although no one remembers it now and although it is one of Ventura Rodríguez's first works, it is a masterpiece of his great art. It is a small church situated in a street now called Calle de San Leonardo, formerly named after the Evangelist because there was a hermitage there dedicated to him. It could be considered as one of the most beautiful churches in the town. Within its neoclassical style, it is original in that it is based on three elipses with an elegant cupola on the central one in brick painted al fresco by Luis González Velázquez.

MUNICIPAL MUSEUM. The baroque style of Madrid, of which there are fewer examples today than it deserves, reaches its culmination, its magnificent beauty, its most suggestive and vibrating display, in the admirable façade of the building constructed by Pedro de Ribera for the San Fernando Orphanage in 1722 and now used for housing the Municipal Museum and Library. The magnificent front arranges its finely folded draperies, its flowers and shells, its columns, capitals, corbels and scrolls in burning rythms around the main theme which is an effigy of King Ferdinand III «El Santo» (the Saint), receiving the keys of Seville from the hands of a child. This powerful baroque style, which dominates the simple two storey building with its well arranged windows trimmed with stone, the lower ones with iron grilles and the higher ones with small balconies, is for present day man the essence and core of some of the most up-to-date artistic tastes. The building has been greatly restored. The museum contains a rich collection of plans of Madrid, XVIII century carriages, chaises, theatrical and bullfighting relics, paintings, urban projects, scale models, ceramics, fans and other objects which reflect the history and culture of Spain in Madrid.

Church of San Marcos. Interior (1749-1753). ⟶

MADRID UNDER THE BOURBONS (IV)

SALESAS REALES. Ferdinand VI and his wife, Doña Bárbara de Braganza had the church of the Visitation, known as Salesas Reales, built between 1750 and 1758. It is a severe, well-proportioned church in rich materials. The monastery, today the Palace of Justice, is situated on the other side and was built in accordance with the plans of the Frenchman Francisco Carlier in collaboration with Francisco Moradillo. The tombs of the King and Queen are beautiful and were executed by the sculptor Francisco Gutiérrez according to plans drawn up by Sabatini. Very much later, General O'Donnell was buried in the church in a tomb carved by Suñol. At one time, the people of Madrid, who were unaccustomed to exhibitionism, found the church and monastery so fatuous, that it was given the rather unjust epigram of «Barbarous queen, barbarous building, barbarous taste, barbarous expense».

THE BOTANICAL GARDENS. Charles III who was the only one of all the monarchs of his dynasty who really felt the need to turn Madrid into a true European capital, was responsible for the creation of the Botanical Gardens, apart from many other monumental and urbanistic works.

The idea of a Botanical Garden and even the initial steps went back even earlier. The Vivero de la Villa (Nursery Garden), planted out on the former Soto de Migas Calientes, was for studying plants and during the reign of Ferdinand VI a plot on the royal estate at El Pardo was used for this purpose. In 1774, Charles III had all the curious and exotic plants taken to the Prado area. Juan de Villanueva was commissioned to design the very elegant wrought iron railings, enclosing the garden, and the very simple neoclassical gate, which was built seven years later. Almost at the same time, Juan de Villanueva also built the *Astronomic Observatory*, which is an elegant, beautifully designed building and which, at that time, completed the splendid urbanization of the boulevards of Paseo del Prado and Paseo de Recoletos, Madrid's main artery, designed and constructed during Charles III's reign. Thirty thousand species of plants and trees from all over the world were planted in the Botanical Gardens, which is still today, even after periods of abandonment, both a well classified and labelled display and a romantic park of shady avenues. Gamilo José Cela, in his carefree book on Madrid, reminds readers of the tradition of giving away, free of charge, medicinal plants in accordance with a decree issued by Charles III. «In the Botanical Gardens, by Royal Decree, the medicinal plants required will be distributed every day —except for Sundays and religious holidays—: valerian for lockjaw and «paralysis», laxative tamarind, purging jalap, aloe for bubos, tonic rhubarb, digestive sarsaparilla, ipecac which detains the bood, arnica which can be used both for a break as well as a cut, sage, sweet marjoram, marsh mallow, wild marjoram, male southernwood, which makes the hair grow on bald heads, etc.».

Las Salesas. Façade.

Las Salesas. Tomb of Fernando VI (1756).

Partial vie

nical Gardens.

Astronomic Observatory. By Juan de Villanueva (1785).

View of the Paseo del Prado, in the XVIII c. According to a water colour
by Isidro González Velázquez.

MADRID UNDER THE BOURBONS (V)

SAN FRANCISCO EL GRANDE. On the site, which tradition states was used by St. Francis of Assisi in the XIII century to build a hermitage and dwelling for himself and his followers, giving medieval Madrid another suburb, a gothic church was raised, housing the tombs of Henry IV's wife, Doña Juana, and famous dignitaries such as Enrique de Villena, the Lujan family, the Vargas family and Ruy González de Clavijo. These were all names of people who played an important role in the history of Spain and Madrid. This great wealth of art and history was all lost when the church was pulled down to leave the site clear for the beautiful San Francisco el Grande, which still stands to-day.

The Franciscan lay brother, Francisco Cabezas, was the author of the original project, which was chosen in preference to another submitted by Ventura Rodríguez. However, the most important part of the work and in particular the decoration was executed by Sabatini, who radically modified the plans.

The frontage is convex, with a bottom section of doric columns and three doors and a top section with windows trimmed with Corinthian columns. A triangular pediment, statues of Saints and two side towers crown the beautiful building, with a set of steps leading up at its foot. A great circular rotunda, covered by a magnificent dome thirty three meters in diameter, forms the main body of the church and was apparently designed by Miguel Fernández in 1764. The rotonda is surrounded by seven chapels under two domes. Artists and painters of the end of the XIX century completed the decoration of the church which is a rich example of a later period to that of the building itself. Martínez Cubells painted the appearance of the Saint's wounds in the choir, and Ferrant, Casto Plasencia, Domínguez and Jove completed the decoration of the central chapel. Domínguez and Ferrant decorated the High Chapel. Maella, Ferro, Castillo and la Plaza, the dome and walls of La Concepción. Luis Ribera the chapel of Las Mercedes. Muñoz Degrain, Ferrant, Hernández and Moreno Carbonero left a sample of a particular period in Spanish painting in the chapel of La Pasión. Casto Plasencia, Oliva and Rodrigo are also represented in the Chapel of La Inmaculada, and in the chapels of Las Ordenes Militares there are paintings by Casado del Alisal, Contreras and Martínez Cubells. Goya, with an important painting of San Bernardino de Sena preaching to King Alfonso of Aragón, reigns with extraordinary force in the chapel of St. Francis over that very representative display of nineteenth century Spanish painting. A set of modern statues, later than the church, stained glass and carvings enrich and add to the beauty of the church, both inside and outside. It is well worth visiting the lovely choir stalls carved in 1526, which came originally from El Paular and are now housed in the presbytery.

San Francisco el Grande. Façade. →

MADRID UNDER THE BOURBONS (VI)

THE ROYAL GATES OF THE CITY. The original gates of the walled-in city no longer exist, but there are still three more modern ones. The oldest is called *Puerta de Hierro* and was built in 1753 to mark the entrance to the royal estate of El Pardo, the walls of which no longer stand. This harmonious gate consists of a half point arch with a decorated archivolt, flanked by two gates without a lintel formed with pilasters, all enclosed in a wrought iron fence, topped by a triangular pediment, with the royal coat of arms and high urns.

The *Puerta de Alcalá*, which was built in 1778 in honour of Charles III, is situated right in the middle of the Calle de Alcalá, in the Plaza de la Independencia, right in front of the entrance to the Retiro. It is built in granite and lime from Colmenar and consists of one single section with five entrances, three central ones with half point arches, and two flat ones, on either side. Ten Ionic columns and a proportioned cornice with an attic, complete the structure which is adorned with lions' heads, a great coat of arms held up by Fame and Genius and other sculptured figures. It was designed by Sabatini and Roberto Michel and Francisco Gutiérrez were responsible for the ornamentation. The two million «reales» of the period needed for completing the work were raised by imposing a tax on the wine sold in the numerous taverns about the capital.

Puerta de Toledo. Designed by the architect, Antonio López Aguado, it was built in 1827 in honour of Ferdinand VII, on the sitewhere another was to have been built in honour of King José Bonaparte, as this is the way honours are distributed according to the occasion. A central half point arch with Ionic columns and two flat gates with fluted pilasters, also Ionic, support a wide cornice, on which a central attic sector rests topped by a sculptured group representing Spain in an alegory receiving the gifts offered by the provinces and the arts. José Ginés, Valeriano Salvatierra and Ramón Barba were the authors of these ornamentations, together with the Madrid coat of Arms.

Another gate, which is neither a monument nor a memorial, but which is loaded with history, is that of the *Parque de Monteleón*, which commemorates the heroic and glorious day of 2nd May.

← San Francisco el Grande. Detail of the great cupola.

Partial view of the Puerta de Hierro and full view of the magnificent Puerta de Alcalá.

Puerta de Toledo, by Antonio Aguado. The central group is the work
of José Ginés.

Aerial view of the Puerta de Alcalá and partial view of the Retiro.

Spanish Parliament Palace, by Narciso Pascual and Colomer (1843-1850).

— The Retiro. Monument to Alfonso XII.

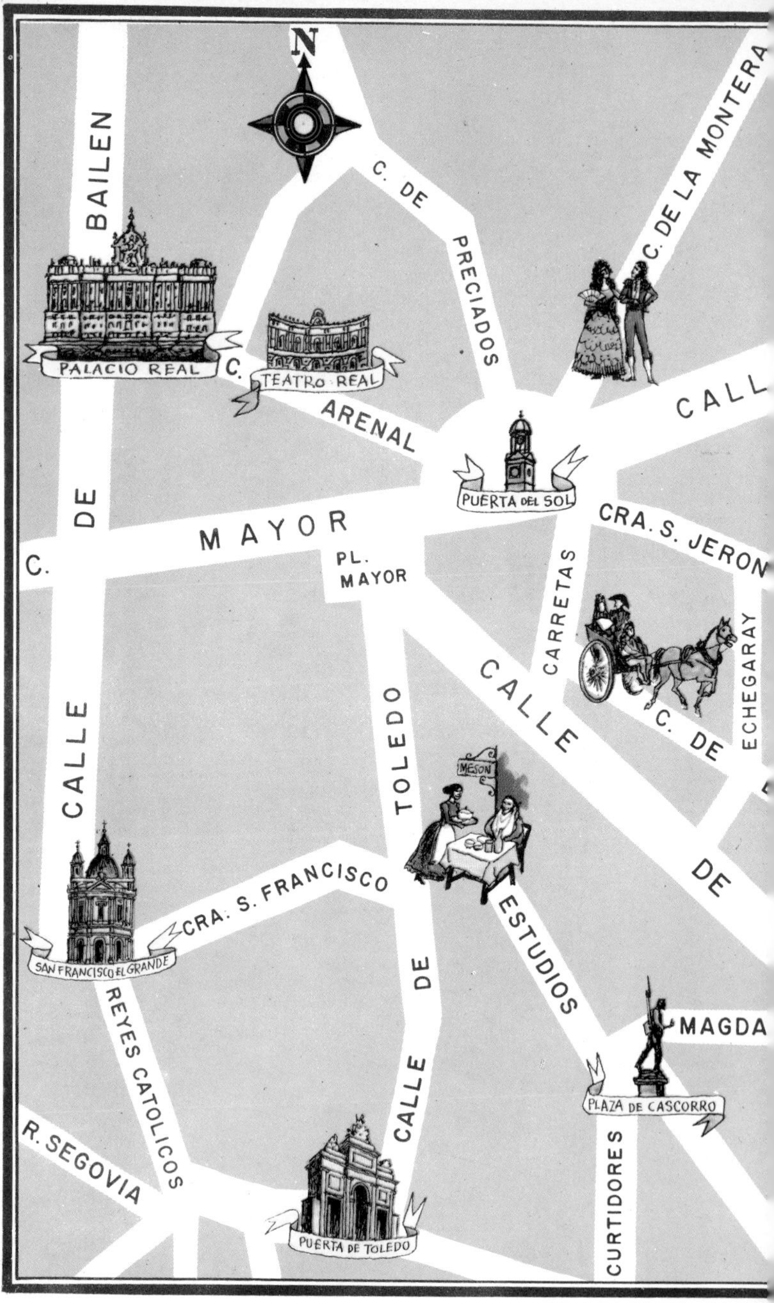
N
BAILEN
C. DE PRECIADOS
C. DE LA MONTERA
PALACIO REAL
TEATRO REAL
C. ARENAL
PUERTA DEL SOL
CALL
C. DE MAYOR
PL. MAYOR
CRA. S. JERON
CARRETAS
ECHEGARAY
CALLE DE
C. DE
TOLEDO
MESON
CALLE
CRA. S. FRANCISCO
SAN FRANCISCO EL GRANDE
ESTUDIOS
DE
REYES CATOLICOS
MAGDA
CALLE
PLAZA DE CASCORRO
R. SEGOVIA
CURTIDORES
PUERTA DE TOLEDO

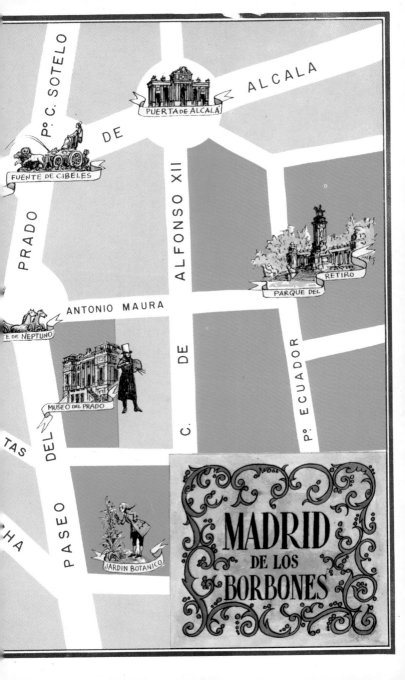

Neptune fountain, by Juan Pascual de Mena.

Partial view of Cibeles, with the fountain of the same name in the centre.

MADRID UNDER THE BOURBONS (VII)

THE FOUNTAINS

Madrid cannot compete with Rome in the way of fountains. However, under the Bourbons, and especially during the reign of Charles III, beautiful or elegant monuments improved the physiognomy of the town's most important boulevards and squares, enlivening the city with sculptures, groups and the play of water. We shall only mention a few of the most famous. The *«Alcachofa» or Artichoke fountain* (1781-82), now in the Retiro, designed by Ventura Rodríguez, with a circular basin and a column in the centre encircled by a triton and a mermaid. Its popular name is taken from the artichoke which crowns it and which was added later. The *Apollo Fountain* (1777-1803), also by Ventura Rodríguez, is in the Paseo del Prado. An elegant Apollo has at its feet around the pedestal statues representing the four seasons. Two masks, one on each side, spout water into three superimposed bowls in the shape of shells and the lovely group with other decorative elements and allegories is completed with two circular basins. The sculptures are by Manuel Alvarez and Alfonso Vergaz. The *Cibeles Fountain* (1777-1792) was designed by Ventura Rodríguez and the sculptures are by Roberto Michel and Francisco Gutiérrez. The goddess seated in a triumphant carriage, drawn by two lions, wears a crown and carries a scepter and a key, symbols of her reign over the earth and the seasons. The water spouts out of a mask on to the lions, but new spouts and illuminations were recently added during successful restoration work ordered by the Mayor Carlos Arias (1968). The *Neptune fountain* (1782), based on a project by Ventura Rodríguez, Juan Pascual de Mena executed the statue of Neptune in Montesclaros marble, like the Cibeles statue, on foot with his trident in a shell shape carriage drawn by sea horses. The fountain is surrounded by dolphins with water spouts. The *Fountain of Fame* or *of Antón Martín* is the work of the architect Pedro de Ribera, the author of the building and porch of the present Municipal Museum, close to where it is now situated after being transferred from various sites. This is a lovely baroque monument with a Fame in white stone set on top of a high pedestal, loaded with angels, scrolls, urns and floral decorations and surrounded by a basin consisting of semi-circular elements with graceful white dolphins. *The Fuentecilla*, in the calle de Toledo, by Juan Antonio Cuervo, a disciple of Villanueva, the *Cruz Verde* fountain, with a statue of Diana, and the *Pontejos* fountain, are more modest fountains, which belong to a certain rural, picturesque trait of Madrid, which is fast disappearing. In the Paseo del Prado, we also have the so called *Cuatro Fuentes* (Four Fountains) also by Ventura Rodríguez, which repeat the same decorative theme consisting of a small triton, a dolphin and bears' heads, belonging to the city's coat of arms.

◄— San Antonio de la Florida. Detail of the decoration of the cupola by Goya.

In the foreground the Cibeles fountain, one of Madrid's most characteristic monuments.

The Apolo fountain, in the Paseo del Prado (XVIII c.).

MADRID UNDER THE BOURBONS (VIII)

SAN ANTONIO DE LA FLORIDA. Two twin hermitages are situated in the Paseo de la Florida, which is the setting for one of Madrid's most popular fairs. Only one is authentic and was built by the Italian architect Francesco Fontana, commissioned by Charles IV in 1798. The other is an exact replica and was built for worship, in order to turn the other into a Goya Museum. In this way it was possible to save the pictures of this brilliant painter which recount the miracle of San Antonio de Padua, who resuscitated the body of a murdered man in Lisbon so that he could act as a witness to save Martín de Boullon, who had been accused of the murder. Goya completed these pictures with great speed, but they are one of the freshest, most palpitating, admirable works of this painter from Fuendetodos. More or less on the same site, there was a hermitage built in 1720 by the Cuerpo del Resguardo de Rentas Reales (Royal Body-guard), which was substituted by another designed by Juan de Churriguera; the latter was demolished in 1768 to make way for a third built by Sabatini, commissioned by Charles III, which proves the deep historic roots of the site, now definitely established by the art of Francisco de Goya.

OTHER MONUMENTS. Before completing this condensed and for-cibly incomplete list, we must first mention: the church of *La Virgen del Puerto*, consecrated in 1718, the work of the brilliant architect Pedro Ribera, who also designed the palaces of *Miraflores*, in the Carrera de San Jerónimo, and *Perales*, in the calle de la Magdalena, and the *Cuartel del Conde Duque* (Barracks), with its ornate entrance, dated in 1720; the italianate Pontifical church of *San Miguel* or of the Saints Justo and Pastor; the church of *San Antón*, which contains the impressive painting by Goya of «The last communion of San José de Calasanz»; the tiny but beautiful Oratory of the *Caballero de Gracia*, a perfect work by Villanueva, where Juan Sánchez Barba's «Christ in Agony» is venerated, and the *Palace of Liria*, the residence of the Dukes of Alba, commenced by Gilbert and completed by Ventura Rodríguez.

During the course of the XIX century, the reign of the Bourbon mo-narchs completed the great XVIII century undertakings, including the *Real Casa de la Aduana* (Royal Customs Building), now the Finance Mi-nistry, completed in 1769; the building still known as *Gobernación*, in the Puerta del Sol, which Charles III had built for the Post Office, together with other buildings, such as the Library and Museums Palace in the Prado, built during the reign of Isabel II and the Parliament Palace *(Palacio de las Cortes)*, completed in 1850. Statues, monuments and noble palaces round off the transformation of Madrid on the threshold of the XX century.

← Antón Martín fountain, by Pedro de Ribera (1731).

Hermitage of San Antonio de la Florida. Exterior.

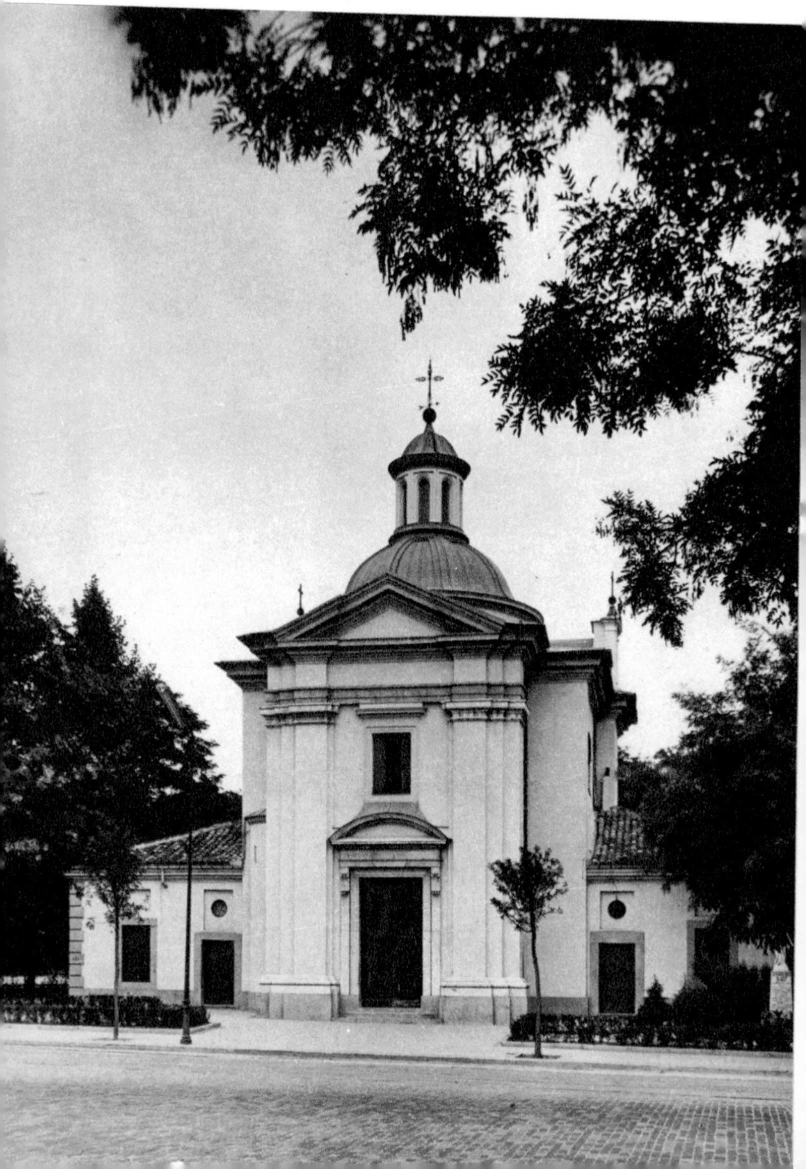

San Antonio de la Florida. Detail of the magnificent mural paintings
by Francisco de Goya.

Church of the Virgen del Puerto by Pedro de Ribera.

Church of San Miguel, by Giacomo Bonavia (XVIII c.).

Oratory of El Caballero de Gracia. *Christ in Agony*, carved by Juan Sánchez Barba (XVII c.).

San Anton. *The last communion of San José de Calasanz*, by Francisco de Goya.

Façade of the Ministry of Finance, by Sabatini (1769).

Façade of the Palace of Liria, residence of the Dukes of Alba.

Partial views of the Plaza de Oriente, with the Royal Theater in the background and the Sabatini Gardens.

THE PRADO MUSEUM (I)

We Spaniards usually scorn what is ours and gape at what is not ours. That is why it is very unusual for anyone to say that Madrid is one of the leading artistic cities in the world. It is, of course, true that there are very few architectural traces of past ages, as there was always a great preference towards the pickaxe but not much enthusiasm for the chisel. However no one questions the point that as far as painting is concerned, this city is the meridian of western painting.

PRADO MUSEUM. Two kings and a queen were responsible for this museum: José Bonaparte who in 1810 saved an important part of Spain's artistic treasure from a complete Napoleonic expoliation; Ferdinand VII, who in 1819 opened the museum in the Natural Sciences Building and his wife, Queen María Isabel of Braganza, who was responsible for this fortunate initiative.

The building was built in 1785 by the architect Villanueva who followed a peculiar Madrid custom of placing in front a very beautiful false façade, which is now perfectly joined to the main body of the building. It is approximately 200 meters long by 40 meters wide. The North and East façade, are elegant examples of the Madrid neo-classical style of the XVIII century. The former was enhanced by a dignified staircase built at the end of the XIX century and the latter consists of two gallery floors; the lower one with arches and flat doors, which frame a spectacular Doric peristyle, consisting of six high columns which fit in perfectly with the twenty eight small Ionic columns of the upper gallery.

Great Spanish painting from the primitives of the XIX century is perfectly and copiously represented. There are 114 pictures and five hundred drawings' by Goya; fifty paintings by Velázquez; about the same number by Ribera; thirty three El Grecos forty Murillos and numerous canvases by Zurbarán, Juan de Juanes, Sánchez Coello, Alonso Cano, Pantoja, etc.

Of the works of art which Spanish painting has given to the world, the Prado Museum contains «Las Meninas» (Ladies in Waiting), «The surrender of Breda», «The Spinners», and the portraits of Philip IV and the Conde-Duque de Olivares, by Velázquez; «The family of Charles IV», «The executions on Príncipe Pío Hill», and the nude and dressed «Majas» by Goya; the «Martyrdom of San Bartolomé», by Ribera; the «Virgin Mary» and the «Gentleman with his hand on his breast» by El Greco; the portrait of Isabel de Valois by Pantoja; the «Visión of San Pedro Nolasco» by Zurbarán; the «Sacred Family», by Murillo and others by these painters and other famous artistis of the same centuries.

PRADO MUSEUM (II)

It is only possible for us to give you just an idea of the dazzling wealth of the Museum, whose catalogue contains 435 Italian, 138 Dutch, 661 Flemish, 157 French and a large number of German painters, as well as some from other countries. In this limited volume, it is impossible for us to give even a representative list of such a great pictoric treasure. The absence of some, but not very many, geniuses, such as Leonardo, Franz Hals or Grunewald, who defined important moments in the history of painting, does not deprive the Prado Museum from being a very complete rich example of the course of Western Art. There is probably no other painting museum in the world which can boast of 83 Rubens, 39 Teniers, 36 Titians, 8 Boscos, 40 Brueghels, 14 Verones, and an inexhaustible Pleiad of masters from other countries, not to mention the fifty Velázquez paintings and the 114 Goyas.

Not for purposes of selection but more as an incitation to study the Museum with a good specialized guide book in the hand, we would mention the following in the section on extraordinary works: «The garden of delight», by Bosco; «The Descent» by Van Der Weyden; «The Fountain of Grace», which must be inevitably by the Van Eyck brothers, to whom it is attributed; the lovely «Self-portrait» by Durero; «The triumph of Death» by the elder Brueghel; the portrait of the Cardinal by Raphael; the «Annunciation» by Fra Angelico; the three charming panels depicting the history of «Nastagio Degli Onesti», taken from the Decameron (the fourth is in London), by Botticelli; the extraordinary portrait of Charles V in Mühlberg, by Titian; «The Passing of the Virgin», by Mantegna; «The Three Graces», «The Adoration of the Kings», «the abduction of Proserpina», by Rubens; «Venus and Adonis» by Verones; the beautiful portrait of «Sir Endimion Porter and Van Dyck» by Van Dyck; «Artemisa» by Rembrandt; «The flow of Lake Estigia» by Patinir; the landscapes of Claudio Lorena; «The Temptations of St. Anthony», by Teniers, etc.

Furthermore, the Prado also contains magnificent statues such as one of Charles I, in the nude under his armour; the so called Dolphin Treasure, one hundred and twenty pieces of untold value and great beauty in jewels, precious stones, glass, dishes and ceramics, which Philip V inherited from his father; tables with beautiful mozaic tops, clocks and as a culmination the very famous «Dama de Elche», a mysterious relic of Iberian art. The collection of altarpieces and «predellas» from Castilian-Aragonese and Catalan-Aragonese churches, gives an idea of the value of Spanish Gothic art and of the relation between Spanish medieval art and the great European Schools.

The Prado Museum, apart from being an astonishing painting library, is also a display of Spain's supreme capacity for painting and taste for contemplation.

Prado Museum. Detail of the main façade.

Prado Museum. *The Garden of Delight*, by El Bosco (Central section).

Prado Museum. *The resurrection.* by El Greco.

Prado Museum. A view of the Velázquez room. Visitors contemplating *the Surrender of Breda*, a famous Velázquez canvas.

Prado Museum. The very famous painting of *Las Meninas* (The Hand-maidens) an inspired work by Velázquez (1656).

Prado Museum. A nude, by Goya.

Prado Museum. *The Cardinal*, by Rafael.

San Fernando Accademy. *San Bruno*, by the great sculptor Manuel
Pereira.

OTHER MUSEUMS IN MADRID (I)

SAN FERNANDO FINE ARTS MUSEUM (Museo de Bellas Artes de San Fernando). In order not to lose some of the most beautiful works produced by Goya, you should visit the San Fernando museum which is installed in the baroque palace constructed by José Churriguera for Goyeneche. It was later converted into the headquarters of the Royal Accademy of the Noble Arts of San Fernando, founded in 1744 by Philip V. The entrance is now in the neo-classic style because it was reformed by Diego de Villanueva, a brother of the Prado Museum architect.

Some of Goya's world famous works are hung there, such as «The Madhouse», «The Discipliners», «Bullfight in a village», «The burial of the sardine», together with the splendid Godoy portraits of «La Tirana», Moratín and a great self-portrait of the Aragonese painter, and excellent works by Ribera, Alonso Cano, Murillo, Zurbarán, Rubens and many pictures by painters who were members of the Royal Accademy owning the Museum. Of the sculptures, we should mention the statue of St. Bruno, in stone, an original work by Manuel Pereira.

LAZARO GALDIANO MUSEUM. A lovely display of beautiful artistic pieces of all kinds, arms, furniture, jewels, sculptures, reliefs, coins, clocks, snuffboxes, pommels, enamels, miniatures, water colours, is exhibited in an attractive, modern installation, in a small palace called «Parque Florido». This building and all its valuable contents were left to the Government in 1948 by José Lázaro Galdiano, a passionate collector, who throughout his long life disputed, often victoriously, over the best of his pieces with the most important official museums in Europe and America.

This museum contains more than thirty rooms, some of which can be classified as fabulous on account of the wealth of Spanish, French and German gold and silver ware. Very beautiful primitive, medieval, renaissance and baroque objects, including works by Cellini and Leonardo, and historic pieces with a curious history, fill the show cases, all perfectly illuminated and labelled. There is a very varied collection of English painting, which on its own puts right the hollow left by the other Madrid museums in this sector. Although there are some really extraordinary works such as a very lovely head painted by Leonardo da Vinci, the Spanish primitives, the Flemish and Dutch masters, the great Spanish Masters and the masters of the Madrid School, etc. are all fully represented and their paintings are well hung in well cared for rooms with representative furniture of the various styles, loaded with history.

This Museum combines variety and wealth with the fundamental characteristic of its collector and founder: the beauty of all the very different pieces collected by him.

San Fernando Accademy. *Self portrait*, by Goya.

LÁZARO GALDIANO MUSEUM. *The countess of Monterrey*, by Carreño de Miranda.

OTHER MUSEUMS IN MADRID (II)

MUSEUM OF MODERN ART. XIX and XX century paintings are hung in this Museum, which occupies one wing of the Library and Museums Palace and which was inaugurated in 1898 to continue on where the Prado Museum left off after Goya.

The so called «historical painting», which is practically non existent today and which has been scorned from certain points of view, even though it is not entirely lacking in worthy plastic values of composition, is well represented in this Museum with such paintings as the «Surrender of Bailen» by Casado del Alisal and «The conversion of the Duke of Gandia» by Moreno Carbonero.

Beautiful works by painters with class, such as Valeriano Bécquer y Fortuny, are hung with entirely romantic paintings, including «The Viaticum», and the «Maja and the old men» by Alenza; «The Guitarist», «The hunters» or «The sermon» by Eugenio Lucas; beautiful, suggestive portraits by Vicente López, who was a very realistic, detailed painter; «A reading by Zorrilla», a very famous painting by Esquivel, which depicts the artistic world of Romantic Madrid, etc.

There is a whole room dedicated to Eduardo Rosales, hung with pictures of great pictoric force, such as «The will of Isabel the Catholic Queen» and «The battle of Los Castillejos». Spanish impressionism is represented by Sorolla, Rusiñol, Mir, etc., and the end of the last century and the beginning of the present one are represented with works by Romero de Torres, Chicharro, Salaverria, Solana, Regoyos, Zuloaga, Vázquez Díaz and many others, who were all pointers of the great force of Spanish contemporary painting.

There are also some interesting sculptures, with samples of the work of Querol, Victorio Macho, Benlliure, Julio Antonio, Marinas, Capuz, Bonome, Mateo Inurria and others.

MUSEUM OF CONTEMPORARY ART. This Museum was installed in the same building in 1951, to organize the great wealth of paintings of to-day which had broken with the pictoric period marking the limits of the concept of modern art. This painting library is very much alive and is constantly being extended and transformed. It is very attractive for those who are interested in the recent movements in painting and who would like to appreciate how Spain has created, originated or incorporated these movements; in a period when the plastic element undoubtedly predominates, there are works to prove this by Picasso, Miró, Dali and Tapies.

The artistic current, from the first schools of postimpressionism to the latest abstract movements, is fully represented with works by Pancho Cossio, Dalí, Zabaleta, Juan Gris, Palencia, Nonell, Sunyer, Pedro Bueno, Arias, Redondela, Ortega Muñoz, Durancamps, etc. The paintings and drawings by Picasso, the sculptured works by Chillida, Gargallo, Pablo Serrano and others, all show the ferment of plastic arts in Spain.

133

Modern Art Museum. *Segovian*, by Ignacio Zuloaga.

Army Museum. Charles V's tent.

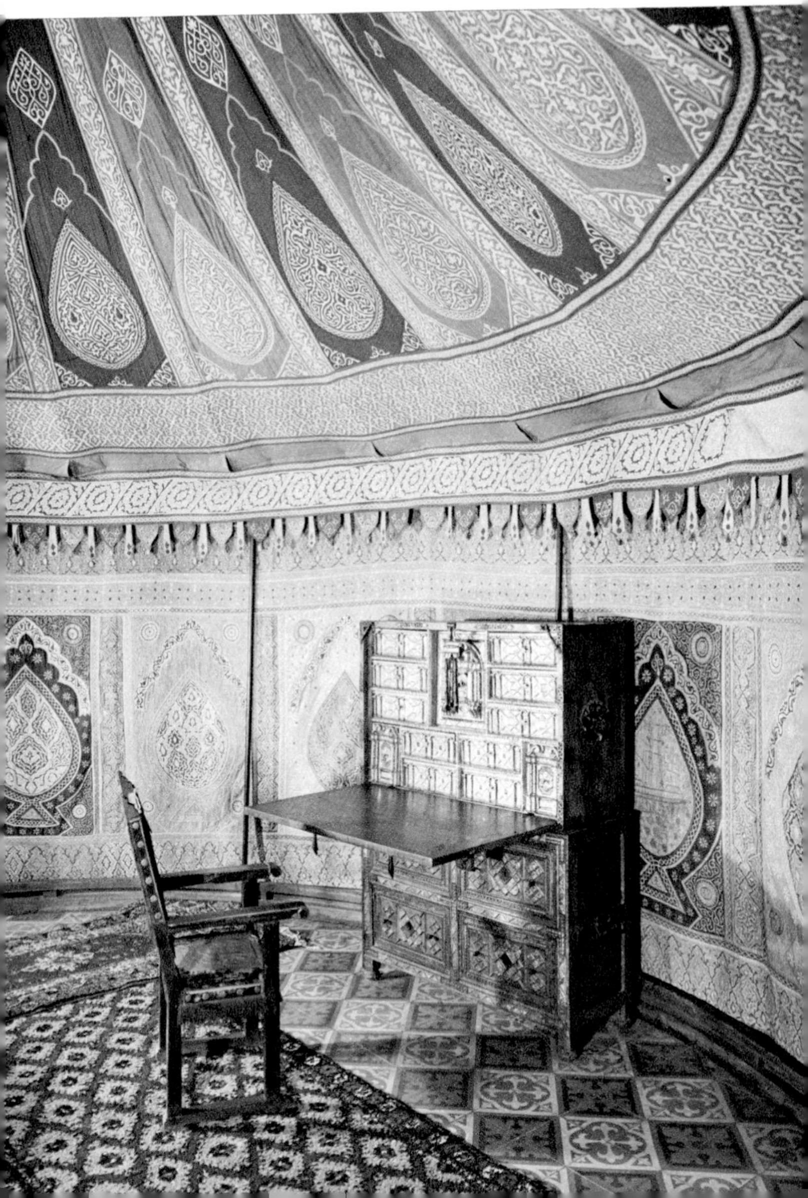

OTHER MUSEUMS IN MADRID (III)

NATIONAL ARCHEOLOGICAL MUSEUM. The idea of a great Antiquities Museum dates back to the reign of Charles III; but it did not become a reality until 1867. It was installed in the Library and National Museums Building in 1895. Since then, the collections have been continuously increased, the Museum now having more than two hundred thousand objects displayed in twenty odd rooms. Apart from a large collection of Greek ceramics, the basis of the Museum is principally Hispanic. The Iberian culture, with sculptures from Cerro de los Santos and Osuna; the Celtiberian culture, with the findings of «Las Cogotas»; the Roman culture; the Visigoth culture with pieces from the Guarrazar treasure; the Muslem culture, with its marvellous ivories; the Romanic culture, with such important works as the tomb of Alfonso Ansúrez or the cross of Don Fernando and Doña Sancha; the gothic culture, etc. are all splendidly represented here.

We must also mention here the great coin collection and the faithful reproduction of the central part of the roof of the Altamira cave, which has been constructed in the Museum garden.

THE AMERICAS MUSEUM. The origin of this museum also dates back to the time of the good king Charles III, when the first pieces of the collection were gathered together. Successive contributions, including a collection of one thousand four hundred Inca vessels, formed at the end of the XVIII century by the Bishop of Trujillo Baltasar Jaime Martínez y Compañón, helped to convert it into an independent entity in 1941, when the collections were housed in some rooms in the Archeological Museum. Since 1965, the museum has been installed in a magnificent building in the University City.

There are several really exceptional collections, such as the idols of the Quimbaya treasure, consisting of seventy two pieces in pure gold or combined with copper, donated by the Colombian Government; the Palenque reliefs, the marvellous Maya city of the jungle and the rich collection of Peruvian, Protochimu, Chimu and Nasca ceramics.

There are also very interesting monographic rooms dedicated to Columbus, Isabel the Catholic Queen, the Spanish colonization, Fray Bernardino de Sahagún and the botanist Celestino Mutis.

OF THE OTHER MADRID MUSEUMS, the Pueblo Español —in the Godoy Palace— the Romantic Museum, etc., we cannot even mention their names. But we shall briefly described just two of them, which originated from two private collections. The Museum of the Don Juan Institute of Valencia, founded by Guillermo J. de Osma, is outstanding because of the magnificent collection of Spanish cloth and Compostela jet and lovely Hispano-Arab ceramics. The Cerrablo Museum, donated to the Government by Enrique de Aguilera y Gamboa, houses paintings by Ribera, Zurbarán, A. Cano, Van Dyck and others, together with drawings by Goya, Murillo... and El Greco's «St. Francis», these being the Museum's most outstanding possessions.

◄— National Museum of Natural Sciences. Diplodocus.

D, fran^{co} de guebedo

National Archeological Museum. Façade.

National Archeological Museum. Lady with an offering from the Cerro de los Santos and the Bicha de Balazote, Iberian sculptures.

National Archeological Museum. Christ belonging to Ferdinand I and his wife Sancha. Leon ivory school (1060).

PRESENT DAY MADRID

At the end of the XIX century, the capital had about five hundred thousand inhabitants, and almost a million when Alfonso XIII lost the throne in 1931, marking the end of a long period of history. After the Civil War, Madrid experienced a breath-taking growth, which in thirty years brought the city up from a scant million in 1939 to three million inhabitants in 1968. The city still preserves its old, typical corners, which we have described in brief in earlier chapters, but they are now surrounded by long avenues entirely lined with very modern buildings, which stretch far beyond the Castro extension approved at the end of the XIX century and the district created by the Marqués de Salamanca, now a central part of the city.

The Banco de España, the Commerce Exchange, the buildings constructed for the Marine and Production Ministries, the Communications Palace, the Gran Vía, the Ciudad Lineal, a Spanish solution to modern urbanism, and the splendid University City, are all to the credit of the last king of the Bourbon monarchy.

After the Civil War, other important buildings have gone up, such as the new terminal station linking all the railway routes in Spain, the Sabatini Gardens, the Rose Garden in the Parque del Oeste, great sports stadiums, the new roadway from San Francisco to the Puerta de Toledo, the reform of the boulevards, the completion of the New Ministry buildings, commenced during the Republic and numerous private buildings, large hotels, small sky-scrapers such as the Edificio España and Torre de Madrid, Barajas Airport and the various motorways of access into Madrid, bringing the city up on a par with other European capitals.

Madrid is to-day one of the most modern European cities and looks like a great Hispano-American capital, in those spots where it does not appear to be imitating a cosmopolis like New York or San Francisco. The muddled creations of this century dominate the apsect and life of Madrid more than the magnificent, constructive, organized efforts of the XVIII and XIX centuries, which are the ones which have really left their architectural and urban mark on this city. Madrid's historical characteristic was not to have character and it has been said, with reason, that the city was the great theater of Spain, on account of its taste, the brilliant, ephemeral decorations and the great momentary festivals or ceremonies. In spite of its diversity, variability and secular changes, Madrid has summed up and still sums up the genius of what is Spanish and is forced today, as we close this hurried guide, to accept, with by no means few resignations and limitations, the mirror, the key and symbol of Spain.

View of the Calle de Alcalá.

View at night of the Gran Vía from the Calle de Alcalá.

National Archeological Museum. Greek Vase, depicting the feats of
Hercules.

America Museum.
Gold mask of the
Inca culture.

San Fernando Accademy. *El Entierro de la Sardina*, by Goya.

A view of the Gran Vía during the evening promenade

Curious view of the Gran Vía, on one of the few cloudy days in Madrid.

The torch bearers, by the north American sculptress Ana Vaughn of Huntington, in the University City.

Aerial view from La Moncloa, in the foreground the Arco de Triunfo.

The elegant Calle de Velázquez.

Monument to Columbus in the Paseo de Recoletos.

View of the Paseo de la Castellana and view of the Avenida del Generalisimo.

The building boom in the Avenida del Generalísimo.

Plaza de San Juan de la Cruz and the New Ministry Buildings in Avenida del Generalísimo.

Main façade of the Ministry of Information and Tourism.

Contrast of the new Madrid.

An afternoon at a bullfight in the Madrid Bullring.

The very characteristic Rastro («Flea Market»), dominated by the statue of Eloy Gonzalo, an illusion of a lost jewel.

ARTISTIC AND LITERARY MADRID (I)

Eversince wayback in 1605 when Juan de la Cuesta, in the house which is to-day no. 85 of the Calle Atocha, on the corner with Calle de Desamparados, printed the edition of *El Ingenioso Hidalgo don Quijote de la Mancha* (Don Quixote), later put on sale at the home of Francisco de Robles, King Philip III's bookseller, Madrid has been the home and setting for the most outstanding artistic and literary archievements in Spain. The city has been the cultural and creative centre of Spanish life since the Golden Age.

Madrid was the home of Lope de Vega, Calderón, Quevedo, Pérez de Montalbán, Ercilla, Juan Vélez de Guevara, Leandro and Nicolás Fernandez de Moratín, Larra, Hartzenbusch, Mesonero Romanos, Echegaray, Benavente, Ortega y Gasset, Marañón and many other literary and scientific geniuses, architects such as Villanueva and Ardemans, and painters such as Coello and Rosales.

There is a district in Madrid, between the Calle de Alcalá and the Calle de Atocha and between the Puerta de Sol and the Paseo del Prado, which is closely linked with the city's literary achievements. Its physiognomy has changed, but there are still some buildings and some palpable reminders of four centuries loaded with history and legend. Lope de Vega, who was born in the Calle Mayor, died in the calle de Francos, now known as the Calle de Cervantes. Quevedo was born in the Calle del Niño, today named after the great poet himself and Cervantes died in the Calle del León, on the corner of Calle de Francos which now bears his name. Rojas Zorrilla, Moreto, Montalbán, Agustín de Rojas, María Calderón, La Tirana, Rita Luna, Maíquez and La Caramba, Carlos Latorre and Julián Romea, a motley group of poets, authors, novelists, critics and actors, all walked, lived, argued, acted, perhaps even fought in the streets of that district, which is still seeped in the atmosphere of the past and where their memory lives on. This area contains the Teatro Español, formerly the Teatro del Príncipe, the Ateneo, the Trinitarian Convent which is full of memories, the home of Lope de Vega, which has been turned into a Museum of the poet, the Royal History Accademy, designed by Villanueva and many other historic buildings.

The Café del Príncipe was the headquarters for the gatherings known as «El Parnasillo», where the princes of Spanish romanticism, Espronceda, Juan Nicasio Gallego, Esquivel, Mesonero Romanos, the young Zorrilla and other bards, painters, and journalists of the middle of the XIX century, met to air their views and throw their weight around.

The literary groups which followed on began to fade away gradually with the change in the way of life and progress. The cafe «Gato Negro», named after the París original, which was Benavente's haunt, disappeared; The Pombo saloon, where Ramón Gómez de la Serna presided over his original literary group, propitious for all the isms, was closed down and transformed and La Granja, where you could have seen Valle Inclán, with Unamuno, Azaña and other writers and politicans of the beginning of this century, no longer exists.

Interior of the House of Lope de Vega. ⟶

The old Teatro del Príncipe, according to an engraving in the Municipal Museum.

Plaza de Santa Ana and the Teatro Español.

Aerial view of the Plaza de España..

Aerial view of Madrid. In the foreground the Paseo de Rosales and the Parque del Oeste.

The modern overhead pass in the Glorieta de Atocha, with the Ministry of Agriculture in the foreground.

The lake in the Casa de Campo, the city's breathing space.

A European and cosmopolitan Madrid.

Roasting oven in a typical Madrid restaurant.

ARTISTIC AND LITERARY MADRID (II)

But the curious, intelligent visitor can discover quite a few picturesque, sentimental reminders of all these places, their memories, personalities and works. Corners where the embers of the past are still perceptible; statues and monuments give one a confused idea of four long centuries of magnificent literary achievement. With the pages of Galdós, Valle Inclán, Azorín and Pérez de Ayala in the hand, and not to mention those of Larra or Mesonero, one can easily discover, step by step, the spirit of a Madrid which lies asleep beneath the brilliant crust of a great metropolis, as it is disguised now.

Those who like to observe the customs of writers, poets, actors, dramatists, film artists, television or circus personalities, can still delve into such gatherings as those held in the Café Gijón, in the Paseo de Recoletos, which is always full at all hours of poets, painters and actors. The Café León in front of the Post Office Building, is frequented by practising lawyers, accademicians, erudites and literary critics; «Sésamo», in the calle del Príncipe, was at one time the haunt of existentialists and is now the home of young revolutionaries of poetry, singing and art. «La Cacharrería» in the Ateneo is not what is was in the time of Unamuno and Valle Inclán, but it is haunted by students who dream of being famous writers or rivals of Picasso. An intense cultural life goes on in the Ateneo, consisting of continuous exhibitions, lectures, theater productions, literary discussions and other activities, which have been coming into their own again over the last few years.

The literary Bohemian life has disappeared and there are only a very limited number of misfits who frequent the literary groups and gatherings with their bad poems in their pockets and with their fabulous projects for plays and novels which never get written. There is an intense journalistic life, as there are many newspapers and magazines, radio stations with literary and cultural programmes, as well as the television, which consumes large numbers of original works. Artists, writers, poets come and go and their works are well received, if they work well and with style.

Twenty three theaters open every night. Dozens of social or cultural centres open their rooms every evening for lecturers, and the exhibition galleries change their displays at least every fortnight. Exhibitions include paintings and sculptures from those still loyal to an out-of-date accademic style to those who demonstrate the most daring mystifications of present day trends.

Although the Ateneo, which at one time enjoyed incredible authority and prestige in the atrabilious life of Spain, is no longer the heart of this artistic and intellectual movement, it is still the geographical centre of Madrid, slowly springing straight from Lope, Calderón and Cervantes, three giants of the great glory of Madrid. Strictly speaking Don Miguel was not really a native of Madrid, but a native of Alcalá de Henares, and although the six leagues separating the two towns do not account for much in this day and age of the autombile, they certainly did count in his time.

Façade of the Spanish Language Royal Accademy.

Detail of the monument to Cervantes against the Torre de Madrid

GASTRONOMIC MADRID (I)

«There is no bird so scornful or fish so withdrawn that it does not reach Madrid if it is enjoyed by some region» we are assured by the chronicler Núñez de Castro at the end of the XVII century. This very same praise of the city's succulent dishes can be repeated today with all justification.

You can eat a great deal in Madrid and at all times. There are thousands of taverns and bars, where the counters are laiden with a tempting display of dishes, from fried peppers which will take the roof off your mouth, to pieces of serrano ham; and from the juicy accordeon of the barnacle, to the testy dish of tripe cooked the Madrid style. All this is not a meal but an appetizer, or «tapa».

«Tapa» is the word given to a small portion of any fresh, cured, cooked or fried dish —meat, fish, shellfish, vegetables, preserves— which are eaten with a glass of wine, a beer, and even a vermouth or one of the modern drinks.

The people of Madrid, or anyone else who comes to be one for this reason, «tapea» (to have «tapas») at all hours. At 2 p. m. with the appetizer before lunch; at 6 p. m. a quick afternoon snack; at 9 p. m. as an appetizer before supper; at 12.30 p. m., if you have split up, to carry on the conversation propped up against the bar or on a stool.

There is no other place in the world wherethe bars and taverns are so full of food as they are in Madrid, although this custom is now being imitated in some European capitals eversince fifteen million tourists have been invading Spain each year and discovering the indigestible delights of the «tapa».

But it could well be said that the varied, tasty «tapa» is merely the herald, the spokesman, the proclaimer of the great wealth and variety of the culinary arts Madrid has to offer to its visitors. «Spanish cooking is full of garlic and religious preoccupations», wrote that great «gourmet» Julio Gamba, who was not an olive oil and chickpea enthusiast. But the truth is that the immense majority of foreigners rapidly become enthusiastic about Spanish regional dishes, of which Madrid is a sample and display. The Valencian paella, with chicken or shellfish, or both, is world famous. The Madrid «cocido» (a kind of stew) which recent discoveries hold responsible for the belligerent nature of the Spaniard, is of soporific succulence, especially when served in the classical style in one single bowl: first the thick tasty soup, followed by the chickpeas and vegetables, and finally the meat, the piece of pork fat and ham, chorizo, chicken, black pudding and the «stuffing», which must not be left out of a good «cocido».

A corner of a typical Madrid restaurant. ⟶

You can eat a lot in Madrid and at any hour.

GASTRONOMIC MADRID (II)

Apart from the Valencian paella, probably the most famous of all Spanish dishes, and the «cocido», undoubtedly Madrid's most typical dish, we should also pay tribute to cod «al pil-pil», or «a la vizcaina», which together with the «conchas» and hake Basque style, are splendid examples of the culinary arts of Guipúzcoa and Bilbao; «lacón con grelos» (smoked pork cooked with turnip tops), «fabada asturiana» (broad beans with pork, sausages, etc.), the «gazpacho andaluz» (cold tomato soup), which has been proved to be both the oldest and the most modern dish eaten by humanity, the Catalan «butifarras», and all types of stews, caceroles and fries for all tastes, all pockets and all stomachs, including the indefinable «gallinejas», one of Madrid's greatest culinary mysteries.

You can find very high quality international cooking excellently served in luxury restaurants, and the connoisseur can find sanctuaries dedicated to French cooking, such as «Le Beaujolais», where you can ask for authentic Strasbourg foie-gras and the best Burgundy; there are also Italian restaurants with specialities in «pizzas» and «oso bucco», such as the «Alduccio»; Chinese restaurants, with their soya seeds, seaweeds, sharks' fins, such as the «Shangrila»; German restaurants, such as «Edelweiss», with their huge servings of enormous sausages and never ending «hollstein».

There are streets, such as Echegaray, Ventura de la Vega, Cádiz, Barbieri, which are full of taverns and cheap eating houses, real Meccas of the «tapa» and the «pincho». There are picturesque restaurants where the Spanish dishes are served by brigands with blunderbusses, as in «Las Cuevas de Luis Candelas»; there are others with history, such as that of the former bullfighter Antonio Sánchez, in the Calle de Mesón de Paredes, who was also a painter and had many friends who were famous painters, great bullfighters and writers. You will find there an easy atmosphere, quick friendship, good ordinary wine and, sometimes, succulent specialities.

Each district has its own particular character, and, as Madrid has grown so much, everything is possible as far as gastronomy is concerned: from the delicious «Rossini tournedo», the culmination of European cooking, to the hot dog with Coca-Cola, imported by the Americans.

Going out to eat in this city is subject to the most delightful surprises for the spirit and the palate.

MADRID BY NIGHT (I)

«At about the end of July», wrote Vélez de Guevara in «*El Diablo Cojuelo*», «the clocks were striking eleven; a dark hour for the streets, as the moon was not yet up». Nowadays nightime in Madrid begins like this, if you could call it such, not only in July but in every month of the year. The twenty three theaters in the city open their doors at 11 o'clock and the early birds begin to appear in the night clubs and Flamenco cellars.

The people of Madrid have always been night birds and they would continue this custom if Government restrictions had not ordered cafes to be closed at 2 a. m. and clubs at 3 a. m. But Madrid has always had and will continue to have «bullas for the dead», i. e. places where you can have another drink until you can link up with the «churrerías», at about 5 or 6 a. m., which open at dawn to serve liquor, coffee or chocolate with «churros», «porras» and «chuletas», for breakfast before going to bed.

It is almost impossible to combine a good dinner in an elegant restaurant with a theater, because the two things usually begin at the same time and so the people of Madrid or the visitor in the know are well prepared for planning their programme one way or another.

Friends usually foregather in a bar but not until after 9 p. m. There are some very elegant bars such as the San Jorge, with damasque, mirrors and antique furniture, where the aristocrats and those who wish to presume as such meet; there are cosmopolitan bars such as «Pepe's Bar», frequented by car salesmen, high civil servants, business men and flashy women; there are «mod» bars such as «Zoska», frequented by hundreds of girls from the Calle de Serrano and roundabout, who meet there to talk with their friends about cars, clothes and Torremolinos. In these and other places, there is a conversation hour, over a whisky, gin and tonic or a martini, accompanied by olives, chips, pop-corn and elegant appetizers such as chorizo, pieces of Spanish omelette or hot croquettes. At about 10.30, people begin to look for a restaurant if they have not reserved a table beforehand, which is essential on a Friday or Saturday night, especially if you want to go to a fashionable or luxury one, such as «Jockey», «Valentín», «Le Beaujolais» or «José Luis».

In Madrid's most famous restaurants, especially those set in a typical background, you will often see an international public, including film stars such as Ava Gardner or David Niven, younger stars such as Geraldine Chaplin, fairytale princesses such as Beatriz de Saboya, famous poets such as Evutshenko and personalities currently in the romantic sensational headlines of *France-Dimanche*, *Tempo* and *Paris Match*.

Night life in Madrid is gay, long, varied and innocent.

MADRID BY NIGHT (II)

When dinner is over, which will have been served with laudible and very Spanish parsimony, followed by a cup of black coffee Italian style and a glass of French Brandy or its Spanish equivalent, according to your budget, the time has come —not before midnight— to change surroundings. The most popular thing to do is to go to a Flamenco show, which is usually all Flamenco dancing and very rarely includes any other type of spectacle. As a general rule, Andalucía inspires the decoration of the premises. Some imitate the dazzling white of the Granada caves; others have copied the tiles of the Alhambra; some resemble Andalucian patios. In all of them, the dancing platform is at the back of the premises, and the dancing group consists of a good dozen gypsy girls in a very modern style of «faralaes» costume; dark gypsies with black hair and flashing eyes, like those Merimée fell in love with and blonds, taosted by the sun, who add new charm to the «fandanguillo» and the «sevillanas». Song, guitar, wine and poetry. Whisky and «manzanilla». Rythmical palm clapping, which is a very Spanish art. Heel stamping. You will find the same people as you did in the restaurant: Ava Gardner or Gina Lollobrigida flirting with one of the dancers, Charlton Heston, King Simeón of Bulgaria, Onassis, anonymous Americans, who live in Torrejón, perhaps Dalí, and sometimes even El Cordobés or Mondeño.

Those who prefer to see close to actors, film artists or variety performers, avant guarde intellectual, will go to Oliver, and those who look for something more international will take refuge in «Casablanca», «Pasapoga», «Folies», where they will find what they would probably see with less clothing in París, Rome or Zurich. As is to be expected, at 4 a. m. hunger once more calls at the door and you feel like a piece of chicken, garlic soup or some slabs of ham. All you need do is to ask any taxi driver for a good adress.

Another evening's entertainment, is to dine early and to go to the theater. A minimum of twenty three theaters function in the city and offer everything from Shakespeare to Beckett, passing through Valle Inclán, Pirandello, Pinter, Alfonso Paso and Frisby. There are good actors, directors and designers in Madrid and theater seats are much cheaper than they are in London, París or Rome. After the theater, you can go to a bar, as they do not close until 3 a. m., or a Flamenco Show or to the Gran Vía or Puerta del Sol, if it is Summer. These two spots are gay with night birds, pleasant girls, street vendors selling tobacco, lotery tickets, books, mechanical toys and a thousand and one other things which turn night into day, although this custom is gradually disappearing. Some streets in Madrid resemble a great carousel which never stops. Nighttime in Madrid is gay, long, varied and innocent. If you do not take to drinking whisky, a night out in Madrid can even be cheap and can end well, unless you have a car accident on your way home, which is not infrequent.

◄— In Madrid, as in Paris, Rome or London...

Singing, guitars, wine and poetry: dark with black hair and flashing eyes.

The charm and art of Flamenco dancing are very much part of night life in Madrid.

INFORMACION   PRACTICA   MADRID

La mayor parte de estos datos han sido facilitados por la
Delegación Provincial de Información y Turismo de Madrid.

INFORMATION   PRATIQUE   MADRID

*La plupart de ces données ont été fournies par la Délégation
Provinciale d'Information et Tourisme de Madrid.*

PRACTICAL   INFORMATION   MADRID

The majority of this information has been supplied by the
Delegación Provincial de Información y Turismo (Provincial Delegation of Information and Tourism).

PRAKTISCHE   HINWELSE   MADRID

*Die meisten der hier gemachten Angaben sind freundlicher-
weise von der Delegación Provincial de Información y Turismo von Madrid zur Verfügung gestellt worden.*

CONJUNTO MONUMENTAL

MUSEO NACIONAL DE ARTE DEL SIGLO XIX.
Paseo de Calvo Sotelo, 20. Telf. 276 03 34.
Horas de visita: De 10 a 14. Precio de entrada: 5 pesetas.

MUSEO NACIONAL DE ARTE CONTEMPORÁNEO. Pintura y escultura actuales, tanto española como extranjera. Paseo Calvo Sotelo, 20. Telf. 225 96 26.
Horas de visita: De 10,30 a 14. Precio de la entrada: 5 pesetas.

MUSEO NAVAL. Maquetas de barcos, cartas de navegación —entre ellas, la famosísima de Juan de la Cosa e instrumentos náuticos. Montalbán, 2. Telf. 221 04 19.
Horas de visita: De 10 a 13,30 (excepto lunes). Precio de entrada: 5 pesetas.

MUSEO DE ARTES DECORATIVAS. Tiene 62 salas con cerámicas, muebles y otros elementos decorativos populares de todas las regiones españolas. Montalbán, 12. Telf. 221 34 40.
Horas de visita: De 10 a 13,30 (excepto lunes). Cerrado desde el 1 de agosto al 8 de septiembre. Precio de entrada: 10 pesetas; niños, 5 pesetas; sábados, gratuito.

MUSEO DEL EJÉRCITO. Importante colección de trofeos bélicos. Méndez Núñez, 1. Telf. 221 67 10.
Horas de visita: De 10 a 14 (excepto lunes). Precio de entrada: 10 pesetas.

MUSEO DEL PRADO. Es una de las primeras pinacotecas del mundo, instalada en un espléndido edificio del siglo XVIII. Pintura española de los siglos XII al XVIII: El Greco, Velázquez, Zurbarán, Ribera, Murillo, Goya. Pintura italiana: Fra Angélico, Rafael, escuela veneciana. Primitivos flamencos: Bosco, Rubens y Van Dyck. Escuela alemana, holandesa e inglesa. Escultura clásica: «La Dama de Elche». Colecciones de monedas, esmal-

tes y orfebrería. Restaurante. Paseo del Prado. Telf. 239 80 23.
Horas de visita: De noviembre a enero, de 10 a 17.De febrero a mayo y octubre, de 10 a 17,30. De junio a 20 de septiembre, de 10 a 18. Domingos y festivos, de 10 a 14. Cerrado el 1 de enero, Viernes Santo, 1 de noviembre y 25 de diciembre. Precio de entrada: 20 pesetas. Domingos: 10 pesetas. Sábados por la tarde: gratuito.

MUSEO ETNOLÓGICO ANTROPOLÓGICO. Contiene los más variados objetos de las culturas primitivas, además de otros testimonios de interés etnológico. Alfonso XII, 68 y Paseo de Atocha, 11. Telf. 239 59 95.
Horas de visita: De 10 a 13,30. (Cerrado del 1 de agosto al 1 de septiembre.) Precio de entrada: 5 pesetas.

PANTEÓN DE HOMBRES ILUSTRES. Monumentos a políticos insignes. Obras de Plácido Zuloaga, Benlliure, etc. Depende del Palacio Real. Julián Gayarre, 3. Telf. 248 74 04.
Horas de visita: De 10 a 13,30. Precio de entrada: gratuita.

PLAZA MAYOR. Inaugurada en mayo de 1620. Realizada por decisión de Felipe III, según proyecto de Juan Gómez de la Mora. En ella se celebraron fiestas de toros, actos de fe y ejecuciones. Casa de la Panadería. Estatua ecuestre de Felipe III, obra de Juan de Bolonia y Pietro Tacca.

AYUNTAMIENTO. Obra de Juan Gómez de la Mora, de 1640. En el interior, frescos de Palomino, valiosos tapices y cuadros. «Alegoría de Madrid», de Goya, y custodia de plata, de Francisco Álvarez.

TORRE DE LOS LUJANES. Sirvió de prisión al rey Francisco I de Francia.

SAN FRANCISCO EL GRANDE. Templo monumental, cuya primera piedra se puso en 1760. Cúpula de treinta y dos metros. Estatuas de Vallmitjana y Benlliure. Cuadros de Goya y Bayeu.

STUDIO DE ZULOAGA. Se conservan muebles y enseres, cuadros y bocetos de su última época. Plaza de Gabriel Miró, 7. Telf. 265 17 4.
Horas de visita: De 10 a 14 (excepto martes). (Cerrado desde el 1 de agosto al 1 de octubre.) Precio de entrada: gratuita.

APILLA DEL OBISPO. Terminada en 1535. Extraordinaria importancia escultórica. Retablo mayor de Juan de Giralte. Sepulcros del obispo don Gutierre de Carvajal y Vargas y de sus padres. Puertas de madera talladas por Villalpando.

GLESIA DE SAN PEDRO EL VIEJO. Torre mudéjar.

ONVENTO DE LAS DESCALZAS REALES. Fundación del siglo XVI, con magnífica colección de pinturas, tallas y tapices. Plaza de las Descalzas Reales. Telf. 222 06 87.

ONVENTO DE LA ENCARNACIÓN. Obra de principios del siglo XVII. Ambiente místico y evocador. Plaza de la Encarnación. Telf. 247 05 10.
Horas de visita: De 10,30 a 13,30 y de 16 a 18 (laborables). De 10,30 a 13,30 (domingos y festivos). Precio de entrada: 10 pesetas.

ALACIO REAL. Dos siglos de historia se reflejan en este palacio, que es uno de los mejores de Europa. Porcelanas, tapices, muebles, armaduras y cuadros. Plaza de Oriente (entrada por la plaza de la Armería). Telf. 248 74 04. Frente al Palacio, en el centro de la Plaza de Oriente, se levanta la estatua de Felipe IV, obra de Pietro Tacca, considerada la mejor estatua pública de Madrid.
Horas de visita: De 15 de junio a 10 de octubre, de 10 a 12,45 y de 16 a 18,15. De octubre a 14 de junio, de 10 a 12,45 y de 15,30 a 17,45. Domingos y festivos, de 10 a 13,30. Cerrado: 1 de enero, Viernes Santo, 25 de diciembre y los días en que se utilice por los actos oficiales.
Precio de entrada: 20 pesetas, las salas de recepción; 50 pesetas, con visita de las habitaciones privadas; 70 pesetas, con visita de la nueva galería de tapices. Biblioteca, 5 pesetas. Farmacia, 5 pesetas.

AL ARMERÍA. Magnífica colección de armas, armaduras y trofeos militares. Plaza de Armas del Palacio Real. Telf. 248 74 04.
Horas de visita: La misma que el Palacio Real. Precio de entrada: 15 pesetas.

USEO DE CARROZAS. Original colección de antiguos coches de caballos y piezas de guadarnés. Palacio Real. Telf. 248 74 00.
Horas de visita: Las mismas que el Palacio Real. Precio de entrada: 10 pesetas.

USEO CERRALBO. Guarda una valiosa colección de objetos, tanto de interés artístico como histórico. Ventura Rodríguez, 17. Telf. 247 36 46.

Horas de visita: De 9 a 14 (excepto martes). (Cerrado durante el mes de agosto.) Precio de entrada: 10 pesetas.

MUSEO DE LA REAL ACADEMIA DE BELLAS ARTES DE SAN FERNANDO. Colecciones de pintura española de distintas épocas, destacando Goya y Zurbarán. Alcalá, 13. Telf. 221 25 73.
Horas de visita: De 10 a 13,30 y de 16 a 18,30. Precio de entrada: laborables, 10 pesetas; festivos, 7 pesetas; sábados, tarde, gratuito.

CASA LOPE DE VEGA. Reconstrucción perfecta de la casa y el huerto del gran autor dramático. Cervantes, 11. Telf. 222 88 25.
Horas de visita: De 11 a 14 (excepto lunes). (Cerrado del 15 de julio al 15 de septiembre.) Precio de entrada: 5 pesetas.

MUSEO DE LA REAL ACADEMIA DE LA HISTORIA. Variada colección de antigüedades iberas, visigodas y musulmanas. Interesante colección de pinturas, retratos de Goya. León, 21. Telf. 227 23 23.
Horas de visita: De 16 a 18,30. (Cerrado los sábados, domingos y festivos.) Precio de entrada: gratuita.

MUSEO MUNICIPAL. Instalado en el antiguo hospicio. Interesantísima portada barroca de Ribera. En él se expone toda clase de objetos artísticos relacionados con la historia de Madrid. Fuencarral, 78 (cerrado por obras).

MUSEO ROMÁNTICO. Evocadora colección de muebles y cuadros del segundo tercio del siglo XIX. San Mateo, 13. Telf. 223 09 09.
Horas de visita: De 11 a 18 (laborables). De 10 a 14 (festivos). Cerrado del 1 de agosto al 15 de septiembre. Precio de entrada: laborables y festivos, 5 pesetas; domingos, 1 peseta.

SAN PLÁCIDO. Prototipo de las construcciones religiosas madrileñas del siglo XVII. «Cristo Yacente», de Gregorio Fernández; «Anunciación», de Claudio Coello. Pinturas murales de Francisco de Ricci.

MUSEO DE AMÉRICA. Arte precolombino e hispánico, refleja el espíritu de la obra civilizadora y cultural de España en el continente americano. Reyes Católicos, 6. Ciudad Universitaria. Telf. 243 94 37.
Horas de visita: Todos los días de 10 a 14 (excepto lunes). Precio de entrada: 10 pesetas.

MUSEO DE REPRODUCCIONES ARTÍSTICAS. Tiene una completa colección de vaciados de las más famosas obras de la antigüedad clásica y renacentista. Ciudad Universitaria. Edificio Museo de América. Telf. 244 14 47.
Horas de visita: De 10 a 16,30. (Cerrado desde el 1 de agosto al 1 de septiembre.) Precio de entrada: gratuita.

MUSEO ARQUEOLÓGICO. Colecciones de objetos prehistóricos de las Edades Antigua

y Media. Numismática y completa colección de cerámica de todas las épocas. Serrano, 13. Telf. 275 70 00.
Horas de visita: De 9,30 a 13,30 (laborables). De 8,30 a 13,30 (festivos y domingos). Precio de entrada: 10 pesetas. Las Cuevas pueden visitarse también de 16 a 20 horas. Precio de entrada: 5 pesetas.

MUSEO LÁZARO GALDIANO. Consta de 30 salas con centenares de cuadros de pintura española, primitivos flamencos, escuelas italiana, francesa, inglesa, etc. Colección de joyas, cerámica, esmaltes, monedas, orfebrería, marfiles, tallas y muebles. Serrano, 122. Telf. 261 60 84.
Horas de visita: De 9,15 a 13,45. Precio de entrada: laborables, 10 pesetas; festivos, 3 pesetas.

MUSEO DE CIENCIAS NATURALES. Colecciones de zoología, paleontología, entomología y geología.
Horas de visita: De 10 a 14 y de 16 a 18,30; domingos y festivos, de 10 a 14. Precio de entrada: 10 pesetas.

MUSEO SOROLLA. Se conservan numerosos óleos y bocetos del famoso pintor. General Martínez Campos, 37. Telf. 223 10 55.
Horas de visita: De 10 a 14 (excepto lunes). Precio de entrada: 10 pesetas; sábados, gratuitos; domingos, 5 pesetas.

MUSEO PANTEÓN DE GOYA. Los frescos que recubren la cúpula y la bóveda son obra genial de Goya y constituyen una de las obras fundamentales de la pintura española. Glorieta de San Antonio de la Florida. Telf. 247 79 21.
Horas de visita: De 10 a 13 y de 15,30 a 18 (verano, de 16 a 19); domingos y festivos, de 10 a 13. Precio de entrada: laborables, 7 pesetas; domingos, 5 pesetas.

REAL FÁBRICA DE TAPICES. Bocetos de tapices de Goya, Bayeu, etc. Se permite la visita a las salas de los telares. Fuenterrabía, 2. Telf. 251 34 00.
Horas de visita: De 9,30 a 13 y de 16 a 19; sábados, de 9,30 a 13. (Cerrado del 1 al 26 de agosto.) Precio de entrada: gratuita.

PALACIO DE LA MONCLOA. Residencia de los Jefes de Estado en visita oficial a nuestro país. Ciudad Universitaria. Telf. 247 64 05.
Horas de visita: De 10 a 13 y 16 a 18 (laborables). De 10 a 13 (festivos). Se cierra cuatro días antes de la visita de un Jefe de Estado. Precio de entrada: 15 pesetas.

INSTITUTO DE VALENCIA DE DON JUAN. Colección de cerámica y otros objetos. Fortuny, 43. Telf. 223 04 15. Cerrado.

MUSEO TAURINO. Expone una completa historia del toreo en pinturas, estampas y maquetas. Plaza de toros de las Ventas (Patio de Caballos). Telf. 255 18 57.
Horas de visita: De 10,30 a 13 y de 15,30 a 18

CASITA DEL PRÍNCIPE EN EL PARDO. Pardo, a 15 km. Telf. 281 90 23.
Horas de visita: De 10 a 12,45 y de 15,3 a 17,45 (verano, de 17 a 20). Precio entrada: 5 pesetas.

MUSEO DE LA FÁBRICA NACIONAL [MONEDA Y TIMBRE. Billetes de Banc Monedas y medallas desde Grecia has nuestros días. Doctor Esquerdo, 38.
Horas de visita: De 10 a 14 y de 16 a 1 (excepto domingos por la tarde y lunes Precio de entrada: 10 pesetas. Servicio venta al público de medallas de arte actuale

ENSEMBLE MONUMENTAL

MUSÉE NATIONAL D'ART DU XIXe s. Pas de Calvo Sotelo, 20. Tél. 276 03 34.
Heures de visite: *De 10 à 14. Prix d'entr* 5 ptas.

MUSÉE NATIONAL D'ART CONTEMPORA Peinture et sculpture actuelles, tant espa noles qu'étrangères. Paseo Calvo Sotelo, : Tél. 225 96 26.
Heures de visite: *De 10,30 à 14. Prix d'e trée: 5 ptas.*

MUSÉE NAVAL. Maquettes de bateaux, c tes de navigation —parmi elles, la très c lèbre de Juan de la Cosa— et instrumes nautiques. Montalbán, 2. Tél. 221 04
Heures de visite: *De 10 à 13,30 (sa lundi). Prix d'entrée: 5 ptas.*

MUSÉE D'ARTS DÉCORATIFS. A 62 sal avec céramiques, meubles et autres é ments décoratifs populaires de toutes régions espagnoles. Montalbán, 12. 221 34 40.
Heures de visite: *De 10 à 13,30 (s lundi). Fermé du 1 août au 8 septem Prix d'entrée: 10 ptas.; enfants, 5 p samedis: gratuit.*

MUSÉE DE L'ARMÉE. Importante collect de trophées de guerre. Méndez Núñez, Tél. 221 67 10.
Heures de visite: *De 10 à 14 (sauf lun Prix d'entrée: 10 ptas.*

MUSÉE DU PRADO. Une des premiè pinacothèques du monde, installée d un splendide édifice du XVIIIe s. Peint espagnole des XII au XVIIIe ss.: El Gre Velázquez, Zurbarán, Ribera, Murillo, Go Peinture italienne: Fra Angélico, Raph école vénitienne. Primitifs flamands: Bos Rubens et Van Dyck. École allemar hollandaise et anglaise. Sculpture classiq la «Dame d'Elche». Collections de m naies, émaux et orfèvrerie. Restaurant. Pa del Prado. Tél. 239 80 23.
Heures de visite: *De novembre à janv de 10 à 17. De février à mai et octo de 10 à 17,30. De juin au 20 septem de 10 à 18. Dimanches et jours fér de 10 à 14. Fermé le 1 janvier, vend saint, 1 novembre et 25 décembre. I d'entrée: 20 ptas. Dimanches: 10 p Samedis après-midi: gratuit.*

MUSEE ETHNOLOGIQUE ANTHROPOLOGI-
QUE. Contient les objets les plus variés
des cultures primitives, outre d'autres té-
moignage d'intérêt ethnologique. Alfonso XII, 68 et Paseo de Atocha, 11. Tél.
239 59 95.
Heures de visite: De 10 à 13,30. Fermé
du 1 août au 1 septembre. Prix d'entrée:
5 ptas.
PANTHEON D'HOMMES ILLUSTRES. Monuments à des politiciens insignes. Oeuvres
de Plácido Zuloaga, Benlliure, etc. Dépend
du Palais Royal. Julián Gayarre, 3. Tél.
248 74 04.
Heures de visite: De 10 à 13,30. Entrée
gratuit
PLAZA MAYOR (GRAND'PLACE). Inaugu-
rée en mai 1620. Réalisée par décision
de Philippe III, selon projet de Juan Gómez
de la Mora. On y célébrait des fêtes de
taureaux, actes de fois et exécutions. Casa
de la Panadería. Statue équestre de Philippe III, oeuvre de Juan de Bolonia et
Pietro Tacca.
HOTEL DE VILLE. Oeuvre de Juan Gómez
de la Mora, de 1640. A l'intérieur, fresques
de Palomino, tapis et tableaux précieux,
«Allégorie de Madrid» de Goya et ostensoir
d'argent de Francisco Alvarez.
TORRE DE LOS LUJANES. Servit de prison
au roi François I de France.
SAINT FRANÇOIS LE GRAND. Temple monumental, dont la première pierre fut posée
en 1760. Coupole de trente deux mètres.
Statues de Vallmitjana et Benlliure. Tableaux
de Goya et Bayeu.
STUDIO DE ZULOAGA. On y conserve des
meubles et objets, tableaux et esquisses de
sa dernière époque. Plaza de Gabriel Miró, 7.
Tél. 265 17 40.
Heures de visite: De 10 à 14 (sauf mardi).
(Fermé du 1 août au 1 octobre.) Entrée
gratuit.
CHAPELLE DE L'EVEQUE. Terminée en 1535.
Extraordinaire importance sculpturale. Re-
table majeur de Juan de Giralte. Sépulcres
de l'Evêque don Gutierre de Carvajal y
Vargas et de ses parents. Portes de bois
taillées par Villalpando.
EGLISE DE ST. PIERRE LE VIEUX. Tour
mudéjare.
COUVENT DES DECHAUSSES ROYALES
(DESCALZAS REALES). Fondation du
XVIᵉ s., avec une magnifique collection de
tableaux, sculptures et tapisseries. Pl. de las
Descalzas Reales. Tél. 222 06 77.
COUVENT DE LA ENCARNACION. Oeuvre
du début du XVIIᵉ s. Ambiance mystique
et évocatrice. Plaza de la Encarnación.
Tél. 247 05 10.
Heures de visite: De 10.30 à 13.30 et de
16 à 18 (ouvrables), de 10.30 à 13.30
(dimanches et jours fériés). Prix d'entrée:
10 ptas.
PALAIS ROYAL. Deux siècles d'histoire se
reflètent dans ce palais, qui est un des
meilleurs d'Europe. Porcelaines, tapisseries
meubles, armures et tableaux. Plaza de
Oriente (entrée par la Plaza de la Armería).
Tél. 248 74 04.
En face du Palais, au centre de la Plaza de
Oriente, s'élève la statue de Philippe IV,
oeuvre de Pietro Tacca, considérée comme
la meilleure statue publique de Madrid.
Heures de visite: Du 15 juin au 10 octobre, de
10 à 12.45 et de 16 à 18.15. D'octobre au
14 juin: de 10 à 12.45 et de 15.30 à 17.45.
Dimanches et jours fériés: de 10 à 13.30.
Fermé: 1 janvier, vendredi saint, 25 décembre et les jours où il est utilisé pour les actes
officiels. Prix d'entrée: 20 ptas., les salles
de réception; 50 ptas., avec visite des salles
privées; 70 ptas., avec visite de la nouvelle
galerie de tapisseries. Bibliothèque, 5 ptas.
Pharmacie, 5 ptas.
ARMERIE ROYALE. Magnifique collection
d'armes, armures et trophées militaires. Place
d'Armes du Palais Royal. Tél. 248 74 04.
Heures de visite: Les mêmes que le Palais
Royal. Prix d'entrée, 15 ptas.
MUSEE DE CARROSSES. Originale collection d'anciennes voitures à chevaux et
pièces de harnais. Palais Royal. Tél.
248 74 00.
Heures de visite: Les mêmes que le Palais
Royal. Prix d'entrée, 10 ptas.
MUSEE CERRALBO. Conserve une précieuse
collection d'objets, tant d'intérêt artistique
qu'historique. Ventura Rodríguez, 17. Tél.
247 36 46.
Heures de visite: De 9 à 14 (sauf mardis)
Fermé au mois d'août. Prix d'entrée: 10 ptas.
MUSEE DE L'ACADEMIE ROYALE DE BEAUX
ARTS DE SAN FERNANDO. Collections
de peinture espagnole de diverses époques,
où se distinguent Goya et Zurbarán. Alcalá, 13. Tél. 221 25 73.
Heures de visite: De 10 à 13.30 et de 16
à 18.30. Prix d'entrée: ouvrables, 10 ptas;
jours fériés, 7 ptas; samedis après-midi,
gratuit.
MAISON LOPE DE VEGA. Reconstruction
parfaite de la maison et du jardin du grand
auteur dramatique. Cervantes, 11. Tél.
222 88 25.
Heures de visite: De 11 à 14 (sauf lundi).
(Fermé du 15 juillet au 15 septembre.) Prix
d'entrée: 5 ptas.
MUSEE DE L'ACADEMIE ROYALE D'HIS-
TOIRE. Collection variée d'antiquités ibé-
res, visigothes et musulmanes. Intéressante
collection de peintures, portraits de Goya.
León, 21. Tél. 227 23 23.
Heures de visite: De 16 à 18.30 (fermé les
samedis, dimanches et jours fériés). Prix
d'entrée: gratuit.
MUSEE MUNICIPAL. Installé dans un an-
cien hospice. Très intéressant portique baroque de Ribera. On y expose toutes sortes
d'objets artistiques se rapportant à l'histoire
de Madrid. Fuencarral, 78. (Fermé pour
travaux.)

MUSEE ROMANTIQUE. Evocatrice collection de meubles et tableaux du deuxième tiers du XIXᵉ s. San Mateo, 13. Tél. 223 09 09.
Heures de visite: De 11 à 18 (ouvrables). De 10 à 14 (fériés). Fermé du 1 août au 15 septembre. Prix d'entrée: ouvrables et fériés, 5 ptas; dimanches, 1 pta.

ST. PLACIDE (SAN PLÁCIDO). Prototype des constructions religieuses madrilènes du XVIIᵉ s. «Christ Gisant», de Gregorio Fernández. «Annonciation», de Claudio Coello. Peintures murales de Francisco de Ricci.

MUSEE D'AMERIQUE. Art précolombin et hispanique, reflète l'esprit de l'oeuvre civilisatrice et culturelle de l'Espagne dans le continent américain. Reyes Católicos, 6. Cité Universitaire. Tél. 243 94 37.
Heures de visite: Tous les jours de 10 à 14 (sauf lundi). Prix d'entrée: 10 ptas.

MUSEE DE REPRODUCTIONS ARTISTIQUES. A une collection complète de moulages des plus fameuses oeuvres de l'antiquité classique et Renaissance. Cité Universitaire. Edifice Musée d'Amérique. Tél. 244 14 47.
Heures de visite: De 10 à 16.30. (Fermé du 1 août au 1 septembre.) Entrée: gratuit.

MUSEE ARCHEOLOGIQUE. Collections d'objets préhistoriques, des Ages Antique et Moyen. Numismatique et collection complète de céramique de toutes les époques. Serrano, 13. Tél. 275 70 00.
Heures de visite: De 9.30 à 13.30 (ouvrables). De 8.30 à 13.30 (fériés et dimanches). Prix d'entrée: 10 ptas. Les Caves peuvent aussi être visitées de 16 à 20 heures. Prix d'entrée: 5 ptas.

MUSEE LÁZARO GALDIANO. Comporte 30 salles avec des centaines de tableaux de peinture espagnole, primitifs flamands, écoles italienne, française, anglaise, etc. Collection de bijoux, céramique, émaux, monnaies, orfèvrerie, ivoires, sculptures et meubles. Serrano, 122. Tél. 261 60 84.
Heures de visite: De 9.15 à 13.45. Prix d'entrée: ouvrables, 10 ptas; fériés, 3 ptas.

MUSEE DE SCIENCES NATURELLES. Collections de zoologie, paléontologie, entomologie et géologie.
Heures de visite: De 10 à 14 et de 16 à 18.30; dimanches et fériés, de 10 à 14. Prix d'entrée: 10 ptas.

MUSEE SOROLLA. On y conserve de nombreuses huiles et esquisses du fameux peintre. General Martínez Campos, 37. Tél. 223 10 55.
Heures de visite: De 10 à 14 (sauf lundis). Prix d'entrée: 10 ptas; samedis, gratuit; dimanches, 5 ptas.

MUSEE PANTHEON DE GOYA. Les fresques qui recouvrent la coupole et la voûte sont une oeuvre génjale de Goya et constituent une des oeuvres fondamentales de la peinture espagnole. Glorieta de San Antonio de la Florida. Tél. 247 79 21.
Heures de visite: De 10 à 13 et de 15.30 à 18 (été, de 16 à 19); dimanches et jours fériés, de 10 à 13. Prix d'entrée: ouvrables, 7 ptas.; dimanches, 5 ptas.

FABRIQUE ROYALE DE TAPISSERIES. Ebauches de tapisseries de Goya, Bayeu, etc. On permet la visite de la salle de métiers à tisser. Fuenterrabía, 2. Tél. 251 34 00.
Heures de visite: De 9.30 à 13 et de 16 à 19; samedis, de 9.30 à 13. (Fermé du 1 au 26 août.) Entrée: gratuit.

PALAIS DE LA MONCLOA. Résidence des Chefs d'Etat en visite officielle dans notre pays. Cité Universitaire. Tél. 247 64 05.
Heures de visite: De 10 à 13 et de 16 à 18 (ouvrables). De 10 à 13 (fériés). Se ferme quatre jours avant la visite d'un Chef d'Etat. Prix d'entrée: 15 ptas.

INSTITUT DE VALENCE DE DON JUAN. Collection de céramique et autres objets. Fortuny, 43. Tél. 223 04 15. Fermé.

MUSEE TAURIN. Expose une histoire complète de la tauromachie en peintures, estampes et maquettes. Arènes de Las Ventas (Patio de Caballos). Tél. 255 18 57.
Heures de visite: De 10.30 à 13 et de 15.30 à 18.

MAISONNETTE DU PRINCE AU PARDO (Casita del Príncipe). El Pardo, à 15 Km. Tél. 281 90 23.
Heures de visite: De 10 à 12.45 et de 15.30 à 17.45 (été, de 17 à 20). Prix d'entrée: 5 ptas.

MUSEE DE LA FABRIQUE NATIONALE DE MONNAIE ET TIMBRE. Billets de Banque, monnaies et médailles depuis la Grèce à nos jours. Doctor Esquerdo, 38.
Heures de visite: De 10 à 14 et de 16 à 19 (sauf dimanches après midi et lundi). Prix d'entrée: 10 ptas. Service de vente au public de médailles d'art actuelles.

MONUMENTS

NATIONAL XIX CENTURY ART MUSEUM (Museo Nacional de Arte del Siglo XIX). Paseo de Calvo Sotelo, 20. Tel. 276 03 34.
Visiting hours: From 10 a.m. to 2 p.m. Entrance fee: 5 ptas.

NATIONAL CONTEMPORARY ART MUSEUM (Museo Nacional de Arte Contemporáneo). Both Spanish and foreign paintings and modern sculptures. Paseo de Calvo Sotelo, 20. Tel. 225 96 26.
Visiting hours: From 10.30 a.m. to 2 p.m. Entrance fee: 5 ptas.

NAVAL MUSEUM (Museo Naval). Models of boats, navigation maps including the very famous one by Juan de la Cosa— and naval instruments. Montalbán, 2. Tel. 221 04 19.
Visiting hours: From 10 a.m. to 1.30 p.m. (except Mondays). Entrance fee: 5 ptas.

MUSEUM OF DECORATIVE ARTS (Museo de Artes Decorativas). The museum consists of 62 rooms with ceramics, furnitures and other popular decorative elements from

all parts of Spain. Montalbán, 12. Tel. 221 34 40.
Visiting hours: From 10 a.m. to 1.30 p.m. (except Mondays). Closed from 1 st August to 8th September.) Entrance fee: 10 ptas; children, 5 ptas; saturday, free.

ARMY MUSEUM (Museo del Ejército). Important collection of war trophies. Méndez Núñez, 1. Tel. 221 67 10.
Visiting hours: From 10 to 2 p.m. (except Mondays). Entrance fee: 10 ptas.

PRADO MUSEUM (Museo del Prado). This is one of the first painting museums in the world, installed in a magnificent XVIII century building. XII to XVIII century Spanish paintings by Velázquez, El Greco, Zurbarán, Ribera, Murillo, Goya. Italian paintings by Fra Angélico, Rafael, Venetian School. Primitive Flemish painters: Bosco, Rubens and Van Dyck. German, Dutch and English Schools. Classical sculpture: «La Dama de Elche» (The Lady of Elche). Collections of coins, enamels and gold and silver work. Paseo del Prado. Tel. 239 80 23.
Visiting hours: November to January, from 10 a.m. to 5 p.m. February to May and October, from 10 a.m. to 5.30 p.m. June to 20th September, from 10 a.m. to 6 p.m. Sundays and holidays, from 10 a.m. to 2 p.m. Closed on 1 st January, Good Friday, 1st November and 25th December. Entrance fee: 20 ptas.; Sundays, 10 ptas. Saturdays afternoons, free.

ETHNOLOGICAL ANTHROPOLOGICAL MUSEUM (Museo Etnológico Antropológico). It contains the most varied selection of objects from primitive cultures, apart from samples of ethnological interest. Alfonso XII, 68 and Paseo de Atocha, 11. Tel. 239 59 95. *Visiting hours:* From 10 a.m. to 1.30 p.m. (Closed 1st August to 1st September.) Entrance fee: 5 ptas.

PANTHEON OF FAMOUS MEN (Panteón de Hombres Ilustres). Monuments to famous politicians. Works by Plácido Zuloaga, Benlliure, etc. Part of the Palacio Real (Royal Palace). Julián Gayarre, 3. Tel. 248 74 04.
Visiting hours: From 10 a.m. to 1.30 p.m. Entrance free.

PLAZA MAYOR. Inaugurated in May 1620. Commissioned by Felipe III, according to a project by Juan Gómez de la Mora. Bull fights, religious plays and executions took place in the square. «Casa de la Panadería». Equestrian statue of Felipe III, by Juan de Bolonia and Pietro Tacca.

TOWN HALL. By Juan Gómez de la Mora. 1640. Inside, frescoes by Palomino, valuable tapestries and paintings. «Alegoria de Madrid» (Madrid Allegory) by Goya and silver monstrance by Francisco Álvarez.

TORRE DE LOS LUJANES (Lujanes Tower) King Francis I of France was imprisoned there.

SAN FRANCISCO EL GRANDE. Monumental church, first stone laid in 1760. Thirty two meter cupula. Statues by Vallmitjana and Benlliure. Paintings by Goya and Bayeu.

ZULOAGA'S STUDIO. Containing furniture and equipment, pictures and sketches from his last period. Plaza de Gabriel Miró, 7. Tel. 265 17 40.
Visiting hours: From 10 a.m. to 2 p.m. (except Tuesdays). (Closed from 1st August to 1st October.) Entrance free.

CAPILLA DEL OBISPO (Bishop's Chapel). Completed in 1535. Of extraordinary sculptoric importance. High altarpiece by Juan de Giralte. Tombs of the Bishop don Gutierre de Carvajal y Vargas and his parents. Wooden doors carved by Villalpando.

CHURCH OF SAN PEDRO EL VIEJO. Mudejar Tower.

CONVENT OT THE «DESCALZAS REALES». XVI century foundation, with a magnificent collection of paintings, carvings and tapestries. Plaza de las Descalzas Reales. Tel. 222 06 87.

CONVENT OF «LA ENCARNACIÓN». Built at the beginning of the XVII century. Mystical and historical atmosphere. Plaza de la Encarnación. Tel. 247 05 10.
Visiting hours: 10.30 a.m. to 1.30 p.m. and 4 a.m. to 6 p.m. (weekdays) 10.30 a.m. to 1.30 p.m. (Sundays and holidays). Entrance fee: 10 ptas.

ROYAL PALACE (Palacio Real). Two centuries of history are reflected in this palace, which is one of the best in Europe. Porcelain, tapestries, furniture, armour and paintings. Plaza de Oriente (entrance in the Plaza de la Armería). Tel. 248 74 04. In the centre of the Plaza de Oriente, in front of the Palace, there is a statue of Felipe IV, by Pietro Tacca, considered to be the best public statue in Madrid.
Visiting hours: 15th June to 10th October, 10 a.m. to 12,45 p.m. and 4 a.m. to 6,15 p.m. October to 14th June, 10 a.m. to 12,45 p.m. and 3,30 a.m. to 5,45 p.m. Sundays and holidays, 10 a.m. to 1,30 p.m. Closed on 1st January, Good Friday, 25th December and days on which the palace is being used for official purposes. Entrance fees: 20 ptas., reception rooms; 50 ptas., with visit to the private quarters; 70 ptas., with visit to the new tapestry gallery. Library, 5 ptas. Pharmacy, 5 ptas.

ROYAL ARMOURY (Real Armeria). Magnificent collection of arms, armour and military trophies. Plaza de Armas, Royal Palace. Tel. 248 74 04.
Visiting hours: The same as for the Royal Palace. Entrance fee: 15 ptas.

CARRIAGE MUSEUM (Museo de Carrozas). Original collection of old horse drawn carriages and harnesses. Royal Palace. Tel. 248 74 00.
Visiting hours: The same as for the Royal Palace. Entrance fee: 10 ptas.

CERRALBO MUSEUM. It contains a valuable collection of objects of both artistic and historical interest. Ventura Rodríguez, 17. Tel. 247 36 46.
Visiting hours: 9 a.m. to 2 p.m. (except Tuesdays). (Closed during the month of August.) Entrance fee: 10 ptas.

MUSEUM OF THE SAN FERNANDO ROYAL ACCADEMY OF FINE ARTS (Museo de la Real Academia de Bellas Artes de San Fernando). Collection of Spanish paintings of different periods, including Goya and Zurbarán works. Alcalá, 13. Tel. 221 25 73.
Visiting hours: 10 a.m. to 1,30 p.m. and 4 a.m. to 6,30 p.m. Entrance fee: weekdays, 10 ptas.; holidays, 7 ptas.; saturday afternoons free.

LOPE DE VEGA'S HOUSE. Perfect reconstruction of the house and garden of the great playwright. Cervantes, 11. Tel. 222 88 25.
Visiting hours: 11 a.m. to 2 p.m. (except Mondays). (Closed from 15th July to 15th September.) Entrance fee: 5 ptas.

MUSEUM OF THE ROYAL HISTORY ACCADEMY (Museo de la Real Academia de la Historia). Varied collection of Iberian, Visigoth and Muslem antiquities. Interesting collection of paintings, portraits by Goya. León, 21. Tel. 227 23 23.
Visiting hours: 4 a.m. to 6,30 p.m. (closed on Saturdays, Sundays and holidays). Entrance free.

MUNICIPAL MUSEUM. Installed in the old poorhouse. Very interesting baroque porch by Ribera. It contains an exhibition of a whole set of artistic objects connected with the history of Madrid. Fuencarral, 78 (closed for repairs).

ROMANTIC MUSEUM. Nostalgic collection of furniture and paintings of the second third of the XIX century. San Mateo, 13. Tel. 223 09 09.
Visiting hours: From 11 a.m. to 6 p.m. (weekdays). From 10 a.m. to 2 p.m. (holidays). Closed from 1st August to 15th September. Entrance fee: Weekdays and holidays, 5 ptas.; Sundays, 1 pta.

SAN PLACIDO. Prototype of XVII Madrid church constructions. Reclining Christ by Gregorio Fernández. «Annunciation» by Claudio Coello. Murals by Francisco de Ricci.

MUSEUM OF AMERICA. (Museo de América). Pre-Columbian and Spanish art, reflecting the spirit of Spain's cultural and civilizing work in the American continent. Reyes Católicos, 6. University City. Tel. 243 94 37.
Visiting hours: Everyday from 10 a.m. to 2 p.m. (except Mondays). Entrance fee: 10 ptas.

MUSEUM OF ARTISTIC REPRODUCTIONS. It contains a complete collection of casting of famous classic and renaissance works.

University City. Museo de America Building. Tel. 244 14 47.
Visiting hours: From 10 a.m. to 4.30 p.m. (Closed from 1st August to 1st September.) Entrance fee: free.

ARCHEOLOGICAL MUSEUM (Museo Arqueológico). Collections of prehistoric objects of ancient times and the Middle Ages. Coins and a complete collection of ceramics of all the ages. Serrano, 13. Tel. 275 70 00.
Visiting hours: From 9,30 a.m. to 1,30 p.m. (weekdays). From 8,30 a.m. to 1,30 p.m. (Sundays and holidays). Entrance fee: 10 pesetas.
The caves can also be visited between 4 a.m. and 8 p.m. Entrance fee: 5 ptas.

LAZARO GALDIANO MUSEUM. 30 rooms with hundreds of Spanish, primitive Flemish, Italian, French, English, etc., school paintings. Collection of jewels, ceramics, enamels, coins, gold and silver, ivories, carvings and furniture. Serrano, 122. Tel. 261 60 84.
Visiting hours: From 9,15 a.m. to 1,45 p.m. Entrance fee: weekdays, 10 ptas; holidays, 3 ptas.

NATURAL SCIENCE MUSEUM. Zoological, paleonthological, enthomological and geological collections.
Visiting hours: From 10 a.m. to 2 p.m. and 4 a.m. to 6,30 p.m. Sundays and holidays, 10 a.m. to 2 p.m. Entrance fee: 10 ptas.

SOROLLA MUSEUM. Numerous oils and sketches by the famous painter. General Martínez Campos, 37. Tel. 223 10 55.
Visiting hours: From 10 a.m. to 2 p.m. (except Mondays). Entrance fee: 10 ptas.; Saturdays, free; Sundays, 5 ptas.

GOYA PANTHEON MUSEUM. The frescoes covering the cupula and vault are by Goya and are one of the fundamental works of Spanish painting. Glorieta de San Antonio de la Florida. Tel. 247 79 21.
Visiting hours: From 10 a.m. to 1 p.m. and 3,30 a.m. to 6 p.m. (summer, 4 a.m. to 7 p.m.); Sundays and holidays, 10 a.m. to 1 p.m. Entrance fee: weekdays, 7 ptas; Sundays, 5 ptas.

ROYAL TAPESTRY FACTORY. Tapestry sketches by Goya, Bayeu, etc. Visits can be made to see the looms at work. Fuenterrabia, 2. Tel. 251 34 00.
Visiting hours: From 9,30 a.m. to 1 p.m. and 4 a.m. to 7 p.m.; Saturdays, 9,30 a.m. to 1 p.m. (Closed from 1st to 26th August.) Entrance fee: free of charge.

MONCLOA PALACE. Residence of Heads of State on official visits to our country. University City. Tel. 247 64 05.
Visiting hours: From 10 a.m. to 1 p.m. and 4 a.m. to 6 p.m. (weekdays). From 10 a.m. to 1 p.m. (holidays). It is closed four days before a visit of a Head of State. Entrance fee: 15 ptas.

«VALENCIA DE DON JUAN» INSTITUTE.
Collection of ceramics and other objects.
Fortuny, 43. Tel. 223 04 15. Closed.

BULLFIGHTING MUSEUM (Museo Taurino).
The complete history of bullfighting in
paintings, posters and scale models. Las
Ventas Bullfighting Ring (Patio de Caballos).
Tel. 255 18 57.
Visiting hours: From 10.30 a.m. to 1 p.m.
and 3.30 a.m. to 6 p.m.

CASITA DEL PRÍNCIPE IN EL PARDO.
El Pardo, 15 km. from Madrid. Tel. 281 90 23
Visiting hours: From 10 a.m. to 12.45 p.m.
and 3.30 a.m. to 17.45 p.m. (Summer
5 a.m. to 8 p.m.) Entrance fee: 5 ptas.

MUSEUM OF THE FABRICA NACIONAL DE
MONEDA Y TIMBRE (MINT). Bank notes.
Coins and medals from Greece to the
present day. Doctor Esquerdo, 38.
Visiting hours: From 10 a.m. to 2 p.m. and
4 a.m. to 7 p.m. (except Sunday afternoons
and Mondays). Entrance fee: 10 ptas. Sale
of modern medals to the public.

SEHENSWÜRDIGKEITEN

NATIONALES KUNSTMUSEUM DES 19. Jh.
Paseode de Calvo Sotelo, 20. Telefon 276 03 34.
Besuchszeiten: Von 10.30-14 Uhr. Eintritts-
preis: 5 Peseten.

NATIONALES MUSEUM FUR ZEITGENÖS-
SICHE KUNST. Zeitgenössische Malerei
und Skulpturen spanischer und ausländi-
cher Künstler. Paseo de Calvo Sotelo, 20.
Telefon 225 96 26.
Besuchszeiten: Von 10.30-14 Uhr Eintrittspreis: 5 Peseten.

SEEFAHRTSMUSEUM. Schiffsmodele, Na-
vigationskarten —darunter die hochberühm-
te Karte von Juan de la Cosa— und Navi-
gationsinstrumente. Montalbán, 2. Telefon
221 04 19.
Besuchszeiten: Von 10-13.30 (ausser Montags). Eintrittspreis: 5 Peseten.

MUSEUM FUR BILDENDE KÜNSTE. 62
Säle mit Keramiken, Möbeln und anderen
volkstümlichen Dekorationsgegenständen
aus allen Spanischen Gegenden. Montalbán, 12. Telefon 221 34 40.
Besuchszeiten: Von 10-13.30 Uhr (ausser
Montags). Geschlossen vom 1. August
bis 8. September. Eintrittspreis: 10 Peseten,
Kinder, 5 Peseten, Samstags frei.

HEERESMUSEUM. Bedeutende Waffen-
sammlung. Méndez Núñez, 1. Telefon
221 67 10.
Besuchszeiten: Von 10-14 Uhr (ausser
Montags). Eintrittspreis: 10 Peseten.

EL PRADO MUSEUM. Eine der namhafte-
sten Gemäldegalerien auf der ganzen Welt;
in einem prächtigen Gebäude aus dem
18. Jh. Spanische Malereien aus dem 12.
bis 18. Jh.: El Greco, Velázquez, Zurbarán,
Ribera, Murillo, Goya. Italienische Malerei:
Fra Angelicus, Raffael, Venetianische Schule.
Altere Flamen: Bosch, Rubens und Van

Dyck. Deutsche Schule, Holländische und
Englische Schule. Klassische Skulpturen:
Die «Dame von Elche». Münzensammlun-
gen, Email-und Goldschmiedearbeiten. Restaurant. Paseo del Prado. Telefon 239 80 23.
Besuchszeiten: November bis Januar, von
10-17 Uhr. Februar bis Mai und Oktober,
von 10-17.30 Uhr. Juni bis 20. September,
von 10-18 Uhr. Sonn- und Feiertage, von
10-14 Uhr. Geschlossen: 1. Januar, Karfreitag, 1. November und 25 Dezember.
Eintrittspreis: 20 Peseten. Sonntags, 10 Peseten. Samstagnachmittags: frei.

ETHNOLOGISCH-ANTHROPOLOGISCHES
MUSEUM. Stellt verschiedenste Gegen-
stände von Primitivkulturen sowie andere
Zeugnisse von ethnologischem Interesse
aus. Alfonso XII, 68 und Paseo de Atocha, 11.
Telefon 239 59 95.
Besuchszeiten: Von 10-13.30 Uhr (gesch-
lossen vom 1. August bis 1. September).
Eintrittspreis: 5 Peseten.

MAUSOLEUM BERÜHMTER PERSÖNLICH-
KEITEN. Denkmäler hervorragender Politi-
ker. Werke von Plácido Zuloaga, Benlliure,
usw., angeschlossen an das Königspalast.
Julián Gayarre, 3. Telefon 248 74 04.
Besuchszeiten: Von 10-13.30 Uhr. Eintrittspreis: frei.

PLAZA MAYOR. Feierliche Einweihung Mai
1620. Auf Wunsch Philips III, nach einem
Entwurf Juan Gómez de la Mora gebaut.
Ist Schauplatz gewesen von Stierkämfen,
Glaubenskundgebungen und Hinrichtungen.
Bäckereihaus. Reiterdenkmal Philips III, Werk
von Juan de Bolonia und Pietro Tacca.

RATHAUS. Von Juan Gómez de la Mora im
Jahre 1640 gebaut. Im Innern Fresken von
Palomino, wertvolle Teppiche und Gemälde.
Goyas «Allegorie von Madrid» und Silver-
monstranz von Francisco Álvarez.

TORRE DE LOS LUJANES. Turm, in dem
König Franz I von Frankreich gefangen
gehalten wurde.

SAN FRANCISCO EL GRANDE. Monumen-
talkirche. Erstesteinlegung 1760. 32 m hohe
Kuppel. Heiligenfiguren von Vallmitjana und
Benlliure. Gemälde von Goya und Bayeu.

ZULOAGAS ATELIER. Hier werden Möbel
und Haushaltsgegenstände sowie Gemälde
und Entwürfe seiner letzten Stilepoche auf-
bewahrt.

BISCHOFSKAPELLE. 1535 fertiggestellt.
Hervorragende Bildhauerwerke. Grosses Al-
tarbild von Juan de Giralte. Grabmäler des
Bischofs Gutierre de Carvajal y Vargas und
seiner Eltern. Geschnitzte Holztüren von
Villalpando.

KIRCHE VON SAN PEDRO EL VIEJO. Turm
im mudejar-Stil.

KLOSTER DER KÖNIGLICHEN BARFUSSER-
NONNEN. Gegründet im 16. Jh. Vorzügli-
che Gemäldesammlung, aussergewöhnliche
Schnitzwerke und Teppiche. Plaza de las
Descalzas Reales. Telefon 222 06 87

ENCARNACIÓN KLOSTER. Aus dem frühen 17. Jh., von einer Atmosphäre voller Mystik und Vergangenheit. Plaza de la Encarnación. Telefon 247 05 10.
Besuchszeiten: werktags 10.30-13.30 und 16-18 Uhr; sonn- und feiertags 10.30-13.30 Uhr. Eintrittspreis: 10 Peseten.

KÖNIGLICHER PALAST. Zwei Jahrhunderte spanischer Geschichte spiegeln sich hierin wieder. Gehört zu den schönsten von ganz Europa. Porzellan, Teppiche, Möbel, Rüstungen und Gemälde. Plaza de Oriente (Eingang an der Plaza de la Armería). Telefon 248 74 04.
Vor dem Palast, mitten in der Plaza de Oriente steht die Statue Philips IV von Pietro Tacca. Sie soll das schönste Denkmal von Madrid sein.
Besuchszeiten: Von 15. Juni bis 10 Oktober 10-12.45 und 16-18.15 Uhr. Von Oktober bis 14. Juni, 10-12.45 und 15.30-17.45 Uhr. Sonn- und feiertags, 10-13.30 Uhr. Geschlossen: 1. Januar, Karfreitag, 25 Dezember und an den Tagen, an denen er für offizielle Festlichkeiten gebraucht wird. Eintrittspreis: 20 Peseten, für die Besichtigung der Empfangssäle; 50 Peseten, einschließlich der Privatgemächer; einschließlich der neuen Teppichausstellung. Eintritt in die Bibliothek: 5 Peseten.

REAL ARMERÍA (Kgl. Zeughaus). Wertvolle Sammlung von Waffen, Rüstungen und Waffenschmuck. Plaza de Armas del Palacio Real. Telefon 248 74 04.
Besuchszeiten: siehe Königlicher Palast. Eintrittspreis: 15 Peseten.

MUSEO DE LAS CARROZAS. Ausgefallene Sammlung von alten Pferdekutschen und Pferdegeschirr. Palacio Real. Telefon 248 74 00.
Besuchszeiten: siehe Königlicher Palast. Eintrittspreis: 10 Peseten.

CERRALBO MUSEUM. Kostbare Sammlung von Gegenständen, die sowohl vom künstlerischen als auch vom historischen Standpunkt von Interesse sind. Ventura Rodriguez, 17. Telefon 247 36 46.
Besuchszeiten: Von 9-14 Uhr (ausser dienstags) Im August geschlossen. Eintrittspreis: 10 Peseten.

MUSEO DE LA REAL ACADEMIA DE BELLAS ARTES DE SAN FERNANDO. Gemäldesammlung spanischer Meister aus verschiedenen Epochen. Besonders erwähnenswert sind Goya und Zurbarán. Alcalá, 13. Telefon 221 25 73.
Besuchszeiten: Von 10-13.30 und 16-18.30 Uhr. Eintrittspreis: werktags, 10 Peseten; feiertags, 7 Peseten, sonnabendnachmittags frei.

HAUS VON LOPE DE VEGA. Vollendete Nachahmung von Haus und Garten des grossen Bühnendichters. Cervantes, 11. Telefon 222 88 25.

Besuchszeiten: Von 11-14 Uhr (ausser Montags). Vom 15. Juli bis 15. September geschlossen. Eintrittspreis: 5 Peseten.

MUSEO DE LA REAL ACADEMIA DE LA HISTORIA. Reiche Sammlung iberischer, westgotischer und maurischer Antiquitäten. Sehenswerte Gemäldesammlung, Gemälde von Goya. León, 21. Telefon 227 23 23.
Besuchszeiten: Von 16-18.30 Uhr. (Samstags, Sonn- und Feiertage geschlossen.) Eintrittspreis: frei.

MUSEO MUNICIPAL (Städtisches Museum). Im ehemaligen Hospiz untergebracht. Hochinteressantes barockes Portal von Ribera. Es werden zahllose Kunstgegenstände ausgestellt, die mit der Geschichte von Madrid in Verbindung stehen. Fuencarral, 78. (Wegen Umbaus geschlossen.)

MUSEO ROMÁNTICO. Bemerkenswerte Sammlung von Möbeln und Gemälden aus dem zweiten Drittel des 19. Jh. San Mateo, 13. Telefon 223 09 09.
Besuchszeiten: werktags, 11-18 Uhr; feiertags, 10-14 Uhr. Geschlossen vom 1. August bis 15. September. Eintrittspreis: werk- und feiertags, 5 Peseten; sonntags, 1 Peseten.

SAN PLÁCIDO. Prototyp religiöser Bauten des 17. Jh. in Madrid. «Liegende Christusgestalt» von Gregorio Fernández. «Verkündigung» von Claudio Coello. Wandmalereien von Francisco de Ricci.

AMERIKA MUSEUM. Vorkolumbianische und hispanische Kunst. Spiegelt den Geist wieder, der die zivilisatorische und kulturelle Tätigkeit Spaniens in der Neuen Welt leitete. Reyes Católicos, 6. Ciudad Universitaria. Telefon 243 94 37.
Besuchszeiten: täglich, 10-14 Uhr (ausser Montags). Eintrittspreis: 10 Peseten.

MUSEO DE REPRODUCCIONES ARTÍSTICAS. Reichhaltige Sammlung von Abgüssen der bedeutendsten Skulpturen des klassischen Altertums und der Renaissance. Ciudad Universitaria. Im selben Gebäude wie der Museo de América. Telefon 244 14 47.
Besuchszeiten: Von 10-16.30 Uhr. Geschlossen vom 1. August bis 1. September. Eintrittspreis: frei.

ARCHEOLOGISCHES MUSEUM. Ausstellung prähistorischer und mittelalterlicher Gegenstände. Münzen und umfangreiche Keramiksammlung aus allen Epochen. Serrano, 13. Telefon 275 70 00.
Besuchszeiten: Von 9.30-13.30 Uhr werktags. Sonn- und Feiertage, 8.30-13.30 Uhr. Eintrittspreis: 10 Peseten. Reproduktion der Höhle von Altamira kann auch von 16-20 Uhr, besichtigt werden. Eintrittspreis: 5 Peseten.

LÁZARO GALDIANO MUSEUM. 30 Säle mit Gemälden spanischer Meister, früher Flamen, Italienische, Französische und Englische Schule. Schmuckstücke, Keramiken, Emailarbeiten, Münzen, Goldschmiedekunst, Elfenbeinfiguren, Schnitzwerke und Möbel

Serrano, 122. Telefon 261 60 84.
Besuchszeiten: *Von 9.15-13.45 Uhr. Eintrittspreis: werktags, 10 Peseten; festtags, 3 Peseten.*

MUSEO DE CIENCIAS NATURALES (Naturwissenschaftsmuseum). Zoologische, paleontologische, entomologische und geologische Sammlung.
Besuchszeiten: *Von 10-14 Uhr und 16-18.30 Uhr. Sonn- und Feiertage, 10-14 Uhr. Eintrittspreis: 10 Peseten.*

SOROLLA MUSEUM. Zahlreiche Ölgemälde und Entwürfe des berühmten Meisters. General Martínez Campos, 37. Telefon 223 10 55.
Besuchszeiten: *Von 10-14 Uhr (ausser Montags). Eintrittspreis: 10 Peseten; Samstags, frei; Sonntags, 5 Peseten.*

MUSEO PANTEÓN DE GOYA. Grossartige Decken- und Kuppelfresken von Goya, die zu den kostbarsten Schätzen der spanischen Malerei gehören. Glorieta de San Antonio de la Florida. Telefon 247 79 21.
Besuchszeiten: *Von 10-13 und 15.30-18 Uhr (im Sommer, 16-19 Uhr). Sonn- und Feiertage, 10-13 Uhr. Eintrittspreis: werktags, 7 Peseten; Sonntags, 5 Peseten.*

KÖNIGLICHE TEPPICHWIRKEREI. Teppichentwürfe von Goya, Bayeu, usw. Besichtigung des Saales mit den Webstühlen möglich. Fuenterrabía, 2. Telefon 251 34 00.
Besuchszeiten: *Von 9.30-13 Uhr und 16-19 Uhr. Samstags, 9.30-13 Uhr. Vom 1. bis zum 26. August geschlossen. Eintrittspreis: frei.*

MONCLOA PALAST. Residez ausländischer Staatsoberhäupter, wenn sie auf offiziellem Besuch in unserem Lande weilen. Ciudad Universitaria. Telefon 247 64 05.
Besuchszeiten: *werktags, 10-13 Uhr und 16-18 Uhr; an Feiertagen, 10-13 Uhr. Wird immer vier Tage vor Ankunft eines Staatschefs geschlossen. Eintrittspreis: 15 Peseten.*

INSTITUTO DE VALENCIA DE DON JUAN. Keramiksammlung und andere Gegenstände Fortuny, 43. Telefon 223 04 15. Geschlossen

STIERKAMPFMUSEUM. Anfänge und Geschichte des Stierkampfes auf Gemälden, Drucke und Modellen. Plaza de toros de las Ventas (Patio de Caballos). Telefon 255 18 57.
Besuchszeiten: *Von 10,30-13 Uhr und 15,30-18 Uhr.*

CASITA DEL PRÍNCIPE IM PARDO. El Pardo, 15 Km von Madrid. Telefon 281 90 23.
Besuchszeiten: *Von 10-12.45 Uhr und 15.30-17.45 Uhr (im Sommer, 17-20 Uhr). Eintrittspreis: 5 Peseten.*

MUSEO DE LA FÁBRICA NACIONAL DE MONEDA Y TIMBRE. (Museum der Staatlichen Münzprägeanstalt). Ausstellung von Banknoten und Geld- bzw. Gedenkmünzen von Griechenland bis zu unseren Tagen Doctor Esquerdo, 38.

Besuchszeiten: *Von 10-14 Uhr und 16-19 Uhr (ausser Sonntag nachmittags und Montags). Eintrittspreis: 10 Peseten. Verkauf moderner Kunstmünzen.*

HOTELES—HÔTELS
HOTELS—HOTELS

CASTELLANA HILTON: Paseo de la Castellana, 57. Telf. 257 22 00. H L.

COMMODORE. Serrano, 145. Telf. 261 76 00. H L.

EMPERADOR. Avda. José Antonio, 53. Telf. 247 28 00. H L.

FÉNIX. Hermosilla, 2 y 4. Telf. 276 17 00. H L.

LUZ PALACIO. Paseo de la Castellana, 67. Telf. 253 28 00 y 254 76 00. H L.

MELIÁ MADRID. Princesa, 27. Telf. 241 31 57. H L.

MENFIS. Avda. de José Antonio, 74. Telf. 247 09 00. H L.

MINDANAO. Paseo de San Francisco de Sales, 15. Telf. 243 65 04. H L.

PALACE. Plaza de las Cortes, 7. Telf 221 11 00. H L.

PLAZA. Edificio España. Telf. 247 12 00. H L.

RESIDENCIA RICHMOND. Plaza de la República Argentina, 8. Telf. 261 80 00. H L.

RITZ. Plaza de la Lealtad, 5. Telf. 221 28 57. H L.

SANVY. Goya, 3. Telf. 276 08 00. H L.

SUECIA. Marqués de Casa Riera, 4. Telf. 231 69 00 (10 líneas). H L.

GRAN HOTEL VELÁZQUEZ. Velázquez, 62. Telf. 275 28 00. H L.

WASHINGTON. Avda. de José Antonio, 72. Telf. 247 02 00. H L.

WELLINGTON. Velázquez, 8. Telf. 275 44 00 y 275 52 00. H L.

APARTAMENTOS AITANA. Avda. del Generalísimo, 42. Telf. 250 06 05. H 1.ª A.

RESIDENCIA AMBERES. Avda. de José Antonio, 68. Telf. 247 61 00. H 1.ª A.

RESIDENCIA AROSA. Avda. de José Antonio, 29. Telf. 231 15 04. H 1.ª A.

AVENIDA. Avda. de José Antonio, 34. Telf. 222 65 81. H 1.ª A.

BALBOA. Núñez de Balboa, 112. Telf. 261 75 00. H 1.ª A.

RESIDENCIA BRETÓN. Bretón de los Herreros, 29. Telf. 254 74 00. H 1.ª A.

RESIDENCIA CAPITOL. Avda. de José Antonio, 41. Telf. 221 83 91 (10 líneas). H 1.ª A.

CARLOS V. Maestro Vitoria, 5. Telf. 231 41 00. H 1.ª A.

CARLTON. Paseo de las Delicias, 28. Telf. 230 92 00 y 239 71 00. H 1.ª A.

RESIDENCIA CASTELLANA SESENTA. Paseo de la Castellana, 62. Telf. 261 08 02-3-4. H 1.ª A.

CLARIDGE. Plaza Conde Casal, 5. Telf. 251 94 00 (5 líneas). H 1.ª A.

RESIDENCIA CLIPER. Chinchilla, 6. Telf. 231 17 00. H 1.ª A.

COLÓN. Dr. Esquerdo, esquina a Pez Volador. Telf. 273 08 00 y 273 14 00 (20 líneas). H 1.ª A.

RESIDENCIA EL COLOSO. Leganitos, 13. Telf. 248 76 00. H 1.ª A.

RESIDENCIA CUZCO. Avda. del Generalísimo, 55. Telf. 279 15 00. H 1.ª A.

ECUESTRE. Zurbano, 79. Telf. 253 94 00. H 1.ª A.

EMPERATRIZ. López de Hoyos, 4. Telf. 276 19 10. H 1.ª A.

GALICIA. Valverde, 1. Telf. 222 10 11-2-3. H 1.ª A.

RESIDENCIA EL GRAN VERSALLES. Covarrubias, 2, 4 y 6. Telf. 223 29 21. H 1.ª A.

GRAN VÍA. Avda. de José Antonio, 25. Telf. 222 11 21 (20 líneas). H 1.ª A.

LACORZAN. Avda. de José Antonio, 31. Telf. 222 83 60 (8 líneas). H 1.ª A.

RESIDENCIA LAR. Valverde, 16. Telf. 221 65 92. H 1.ª A.

RESIDENCIA LIABENY. Salud, 3. Telf. 221 90 77. H 1.ª A.

RESIDENCIA LOPE DE VEGA. Avda. de José Antonio, 59. Telf. 247 70 00. H 1.ª A.

RESIDENCIA MADRID. Carretas, 10. Telf. 221 65 20. H 1.ª A.

RESIDENCIA MÁYORAZGO. Leganitos, 16. Telf. 247 26 00. H 1.ª A.

RESIDENCIA MERCATOR. Atocha, 123. Telf. 239 26 00 (5 líneas). H 1.ª A.

RESIDENCIA MONTESOL. Montera, 25. Telf. 231 76 00. H 1.ª A.

NACIONAL. Paseo del Prado, 54. Telf. 227 30 10. H 1.ª A.

OSUNA. Luis de la Mata, 30. Telf. 205 05 40. H 1.ª A.

PARÍS. Alcalá, 2. Telf. 221 64 96. H 1.ª A.

RESIDENCIA PINTOR. Goya, 79. Telf. 275 84 32 y 225 45 21-2. H 1.ª A.

PRÍNCIPE PÍO. Paseo de Onésimo Redondo, 16. Telf. 247 08 00. H 1.ª A.

REX. Avda. de José Antonio, 43, dpdo. Telf. 247 48 00 (20 líneas). H 1.ª A.

SACE. General Sanjurjo, 8. Telf. 257 34 00. H 1.ª A.

RESIDENCIA SAN ANTONIO DE LA FLORIDA. Paseo de la Florida, 13. Telf. 247 14 00. H 1.ª A.

RESIDENCIA SANTANDER. Echegaray, 1. Telf. 221 28 73-942 (4 líneas). H 1.ª A.

RESIDENCIA TRAFALGAR. Trafalgar, 35. Telf. 224 23 60. H 1.ª A.

RESIDENCIA VALENTÍN. Concha Espina, 63. Telf. 259 46 00-7-8-9. H 1.ª A.

GRAN HOTEL VICTORIA. Plaza del Ángel, 7. Telf. 231 45 00, 231 60 00 y 221 28 25 H 1.ª A.

RESIDENCIA WALDORF. María de Molina, 30. Telf. 261 96 00 (5 líneas). H 1.ª A.

RESIDENCIA YELMO CLUB. Velázquez, 12. Telf. 225 44 57. H 1.ª A.

ZURBANO. Zurbano, 81. Telf. 253 82 00. H 1.ª A.

ALEXANDRA. San Bernardo, 29 y 31. Telf. 222 65 41. H 1.ª A.

RESIDENCIA ANACO. Tres Cruces, 3. Telf. 222 46 04. H 1.ª B.

LOS ÁNGELES. Costanilla de los Ángeles, 12. Telf. 248 08 00. H 1.ª B.

ASTURIAS. Carrera de San Jerónimo, 11. Telf. 221 82 40. H 1.ª B.

ATLÁNTICO. Avda. de José Antonio, 38. Telf. 222 64 80. H 1.ª B.

RESIDENCIA BRISTOL. Avda. de José Antonio, 40. Telf. 222 47 20. H 1.ª B.

RESIDENCIA CASÓN DEL TORMES. Río, 7. Telf. 247 37 01. H 1.ª B.

RESIDENCIA CONDE DUQUE. Plaza del Conde Valle Suchil, 5. Telf. 257 30 00. H 1.ª B.

RESIDENCIA CORTEZO. Doctor Cortezo, 3. Telf. 239 38 00. H 1.ª B.

RESIDENCIA DON RAMÓN DE LA CRUZ. Don Ramón de la Cruz, 94. Telf. 255 92 00 (10 líneas). H 1.ª B.

DUCAL. Hortaleza, 3. Telf. 221 10 45. H 1.ª B.

EUROPA. Carmen, 4. Telf. 221 29 00. H 1.ª B.

RESIDENCIA INGLÉS. Echegaray, 12. Telf. 221 10 30. H 1.ª B.

INTERNACIONAL. Arenal, 19. Telf. 248 18 00. H 1.ª B.

ITALIA. Gonzalo Jiménez de Quesada, 2. Telf. 222 47 90. H 1.ª B.

RESIDENCIA JAMYE. Plaza de las Cortes, 4. Telf. 231 88 00 (cent.) y 221 19 00. H 1.ª B.

RESIDENCIA LIS. Barco, 3. Telf. 221 46 80. H 1.ª B.

LONDRES. Galdo, 2. Telf. 231 41 05 (5 líneas). H 1.ª B.

RESIDENCIA LUXOR. Avda. de José Antonio, 45. Telf. 247 39 04. H 1.ª B.

RESIDENCIA MAGNUS. Príncipe, 15. Telf. 231 16 05-6-7. H 1.ª B.

RESIDENCIA MARQUINA. Prim, 11. Telf. 222 90 10-6-7-8-9. H 1.ª B.

MEDIODÍA. Plaza del Emperador Carlos V, 8. Telf. 227 30 60. H 1.ª B.

MODERNO. Arenal, 2. Telf. 231 09 00 (10 líneas). H 1.ª B.

RESIDENCIA MÓNACO. Barbieri, 5. Telf. 222 46 30. H 1.ª B.

RESIDENCIA MORA. Gobernador, 24. Telf. 239 83 00. H 1.ª B.

MORA. Paseo del Prado, 32. Telf. 239 48 00 (5 líneas). H 1.ª B.

RESIDENCIA NEGRESCO. Mesonero Romanos, 12. Telf. 222 65 30. H 1.ª B.

NORBA. Vázquez de Mella, 9. Telf. 222 29 71. H 1.ª B.

NORTE. P. de la Florida, 1. T. 247 16 00. H 1.ª B.

RESIDENCIA ÓPERA. Arrieta, 6. Telf. 241 28 00. H 1.ª B.

PENEDO. Valverde, 1. Telf. 222 47 70. H 1.ª B.

PEREDA. Valverde, 1. Telf. 222 47 00-8-9. H 1.ª B.

RESIDENCIA REGENTE. Mesonero Romanos, 13. Telf. 221 29 41. H 1.ª B.

REGINA. Alcalá, 19. Telf. 221 47 25. H 1.ª B.

RONDA. Ronda de Toledo, 24. Telf. 227 96 40. H 1.ª B.

ROSALÍA DE CASTRO. San Bernardo, 1. Telf. 247 65 00. H 1.ª B.

SUR. Paseo de la Infanta Isabel, 9. Telf. 227 39 21. H 1.ª B.

RESIDENCIA TIROL. Marqués de Urquijo, 4. Telf. 248 19 00 (10 líneas). H 1.ª B.

RESIDENCIA TRIANÓN. Plaza de las Cortes, 3. Telf. 231 36 05. H 1.ª B.

AGUILAR. Carrera de San Jerónimo, 32. Telf. 231 37 03. H 2.ª

AMERICANO. Puerta del Sol, 11. Telf. 222 28 22. H 2.ª

ARAGÓN. Núñez de Arce, 1. Telf. 222 29 00. H 2.ª

ATLÁNTICO II. Avda. de José Antonio, 38. Telf. 222 64 80. H 2.ª

RESIDENCIA BADEN-BADEN. San Roque, 4. Telf. 221 28 20 (3 líneas). H 2.ª

RESIDENCIA BALTIMORE. Bravo Murillo, 106. Telf. 234 80 00. H 2.ª

RESIDENCIA BARAZAL. Avda. de José Antonio, 11. Telf. 221 64 00. H 2.ª

BIARRITZ. Victoria, 2. Telf. 221 15 37. H 2.ª

CALIFORNIA. Avda. José Antonio, 38. Telf. 222 47 03 (3 líneas). H 2.ª

CENTRAL. Alcalá, 4. Telf. 221 83 90. H 2.ª

COMPOSTELA. Muñoz Torrero, 7. Telf. 231 67 00 y 231 67 09. H 2.ª

CONTINENTAL. Avda. de José Antonio, 44. Telf. 221 46 40-9. H 2.ª

RESIDENCIA DARDE. Libreros, 7. Telf. 222 82 70. H. 2.ª

EMBAJADA. Joaquín García Morato, 5. Telf. 257 42 05 (5 líneas). H 2.ª

EXCELSIOR. Avda. de José Antonio, 50. Telf. 247 34 00. H 2.ª

GREDOS. Avda. José Antonio, 52. Telf. 247 32 00. H 2.ª

RESIDENCIA IRURETA. Avda. de José Antonio, 1. Telf. 222 10 80-8-9. H 2.ª

KOSMOS. Plaza de Santa Bárbara, 1. Telf. 224 01 01. H 2.ª

METROPOL. Montera, 47. Telf. 221 29 32, 221 29 33-4-5. H 2.ª

RESIDENCIA MONOPOL. Víctor Hugo, 4. Telf. 231 96 05. H 2.ª

NIZA. Avda. de José Antonio, 52. Telf. 247 75 02-3. H 2.ª

NUESTRA SEÑORA DEL CARMEN. Plaza de Santa Bárbara, 1. Telf. 223 48 77. H 2.ª

PRÍNCIPE. Montera, 47. Telf. 222 46 07. H 2.ª

ROMA. Travesía Trujillos, 1. Telf. 231 19 04-5-6. H 2.ª

VALENCIA. Avda. de José Antonio, 44. Telf. 222 11 15. H 2.ª

VENECIA. Avda. de José Antonio, 6. Telf. 222 46 54 (5 líneas). H 2.ª

RESIDENCIA ACACIAS. Paseo de las Acacias, 8. Telf. 230 48 04. H 3.ª

ALICANTE. Arenal, 16. Telf. 231 20 02-3. H 3.ª

ALIPA. San Marcos, 28. Telf. 232 34 07. H 3.ª

HOSTAL BUELTA. Drumen, 4. Telf. 239 98 05-6-7. H 3.ª

CARRERAS. Príncipe, 18. Telf. 231 66 00-9. H 3.ª

RESIDENCIA CRISTÓBAL. Preciados, 4. Telf. 222 34 64. H 3.ª

DUÑAITURRIA. Plaza del Ángel, 12. Telf. 239 46 07. H 3.ª

RESIDENCIA FINISTERRE. Toledo, 111. Telf. 265 36 00. H 3.ª

LARRIUT. Cedaceros, 8. Telf. 222 10 37. H 3.ª

LEGAZPI. Paseo del Molino, 7 y 9. Telf. 227 39 61. H 3.ª

MAGERIT. Avda. de José Antonio, 76. Telf. 247 66 00-7-8-9. H 3.ª

NUESTRA SEÑORA DEL PILAR. Carretas, 13. Telf. 221 74 29. H. 3.ª

RESIDENCIA PÉREZ. Ballesta, 5. Telf. 231 65 01-2 y 231 40 36. H 3.ª

LA PERLA ASTURIANA. Plaza de Santa Cruz, 3. Telf. 222 65 25. H. 3.ª

RESIDENCIA TERAN. Aduana, 19. Telf. 222 64 24-5 H 3.ª

TORIO. Atocha, 16. Telf. 239 16 00-9. H 3.ª

HOSTAL UNIVERSO. Puerta del Sol, 13, 3.º Telf. 232 38 02. H 3.ª

VARELA. Valverde, 5. Telf. 221 20 00 (3 líneas). H 3.ª

VERACRUZ. Victoria, 1, 3.º y 4.º. Telf. 231 33 07. H 3.ª

PENSIONES—PENSIONS
BOARDING HOUSES—PENSIONEN

ABASCAL. General Sanjurjo, 49. Telf. 254 04 37. P L.

HOSTAL ALFONSO XIII. Marqués de Cubas, 23, 5.º Telf. 221 60 97. P L.

ALIBEL. Avda. de José Antonio, 44. Telf. 232 35 00-9. P L.

HOSTAL AMAYA. Avda. de José Antonio, 12. Telf. 222 21 51. P L.

ARIZONA. López de Hoyos, 7, 3.º Telf. 261 14 06-7. P L.

HOSTAL ATOCHA. Paseo del General Primo de Rivera, 3. Telf. 227 14 50. P L.

AUSEVA. Maestro Victoria, 3. Telf. 231 63 55.

HOSTAL AUTO. Paseo de la Chopera, 71. Telf. 239 66 00-8-9. P L.

HOSTAL AZOR. Avda. de José Antonio, 67. Telf. 247 26 01-2. P L.

HOSTAL BARAJAS. Augusto Figueroa, 17. Telf. 221 82 44. P L.

BELLAMAR. Eraso, 8 y 10. Telf. 255 60 00-9. P L.

CAPRICHO. Conchas, 7. Telf. 247 33 56. P L.

CLARIS. Plaza de las Cortes, 4, 5.º dcha. Telf. 222 27 41. P L.

HOSTAL CÓRDOBA. Paseo de Santa María de la Cabeza, 21. Telf. 227 31 88-9. P L.

COVADONGA. General Martínez Campos, 21. Telf. 224 05 33. P L.

DELFINA. Avda. de José Antonio, 12. Telf. 222 64 23. P L.

EASO. Plaza de las Cortes, 3. Telf. 221 28 88 P L.

HOSTAL ESPAÑA. Jardines, 29. Telf. 221 11 48. P L.

FALAGÁN. Zorrilla, 13. 1.º Telf. 231 06 06-7 P L.

HOSTAL FLORIDA. Marqués de Cubas, 25, 6.º Telf. 221 10 00. P L.

HOSTAL GALAICO. Avda. de José Antonio, 15. Telf. 221 46 68. P L.

GALIANO. Alcalá Galiano, 6. Telf. 219 20 00. P L.

GAOS. Mesonero Romanos, 14. Telf. 231 63 05-6. P L.

GOYA. Ayala, 130 y 132. Telf. 275 71 27. P L.

LA GUIPUZCOANA. Avda. de José Antonio, 44. Telf. 232 33 00-8-9. P L.

GURTUBAY. Gurtubay, 6. Telf. 225 86 92. P L.

HOSTAL HERNÁNDEZ. Corredera Baja, 12. Telf. 221 16 27 y 232 39 05. P L.

HISPANO-AMÉRICA. Avda. de José Antonio, 63. Telf. 247 55 39. P L.

HOSTAL HISPANO-ARGENTINO. Avda. de José Antonio, 15, 6.º Telf. 232 24 48. P L.

HOSTAL INFANTAS. Infantas, 21. Telf. 231 08 00. P L.

HOSTAL ÍZARO. Plaza Vázquez de Mella, 5. 1.º Telf. 222 28 06. P L.

IZURA. Plaza de la Independencia, 8. Telf. 222 06 09. P L.

JOAQUÍN ROMERA. Plaza de las Cortes, 3. Telf. 231 25 03. P L.

HOSTAL KENTON. Marqués de Cubas, 25. Telf. 221 63 26. P L.

HOSTAL LISBOA. Ventura de la Vega, 17. Telf. 222 83 44-5. P L.

HOSTAL LUIS XV. Montera, 47. Telf. 222 21 69 y 221 43 94. P L.

HOSTAL MARÍA CRISTINA. Fuencarral, 20, 1.º Telf. 221 15 41. P L.

HOSTAL MARÍA LUISA. Hortaleza, 19, 2.º Telf. 222 04 33 y 231 96 02. P L.

HOSTAL MARÍA DE MOLINA. Carrera de San Jerónimo, 13. Telf. 231 34 00-9.P L.

HOSTAL MARINA. Carretas, 27. Telf. 222 05 25. P L.

MIAMI. Avda. de José Antonio, 44. Telf. 221 14 64. P L.

HOSTAL MIÑO. Mayor, 30, 2.º Telf. 222 29 25. P L.

MIRENTXU. Zorrilla, 7, 3.º Telf. 231 81 01-2. P L.

MORI. Plaza de las Cortes, 3. Telf. 232 16 04. P L.

HOSTAL MYRIAM. Jorge Juan, 15, 2.º dcha. Telf. 275 60 08. P L.

HOSTAL NUEVA NAVARRA. Avda. de José Antonio, 33. Telf. 231 27 07. P L.

HOSTAL NURIA. Fuencarral, 52. Telf. 231 92 06-7-8. P L.

HOSTAL OXFORD. Guzmán el Bueno, 53. Telf. 244 13 02. P L.

PALERMO. Plaza de las Cortes, 4. Telf. 221 13 68. P L.

HOSTAL PALMA. Carrera de San Jerónimo, 13. Telf. 222 83 60. P L.

HOSTAL PIZARRO. Pizarro, 14. Telf. 231 91 58. P L.

HOSTAL PRADO. Santa Catalina, 7. Telf. 222 10 65. P L.

HOSTAL PRESIDENCIAL. Mesón de Paredes, 9. Telf. 239 80 66. P L.

ROSALÍA DE CASTRO. Campomanes, 6. Telf. 247 92 04. P L.

SALAS. Avda. de José Antonio, 38. Telf. 231 96 00. P L.

ROSO. Plaza de las Cortes, 3. Telf. 222 87 29. P L.

HOSTAL SANCHO. Paseo de las Delicias, 56. Telf. 230 67 00 (6 líneas). P L.

SUSANA. Marqués de Cubas, 25. Telf. 222 79 54. P L.

HOSTAL TRES REYES. Marqués de Cubas, 23. Telf. 222 72 25. P L.

HOSTAL VASCO. Infantes, 3. Telf. 222 46 31-2. P L.

HOSTAL LAS VEGAS. Arenal, 15. Telf. 248 02 04 (3 líneas). P L.

AFRICA. Núñez de Arce, 8. Telf. 222 38 01. P 1.ª.

ALCAZAR REGIS. Avda. de José Antonio, 61 Telf. 247 93 17. P 1.ª.

HOSTAL ALCORIZA. Avda. de José Antonio, 20. Telf. 222 83 30 (centralita). P 1.ª.

ALFARAZ. León, 13. Telf. 232 29 07. P 1.ª.

HOSTAL ALGORTA. Avda. de José Antonio, 33. Telf. 221 10 54-5. P 1.ª.

HOSTAL ALMANZOR. Carrera de San Jerónimo, 13. Telf. 222 30 16. P 1.ª.

ALMIRANTE. Almirante, 4. Telf. 232 48 71. P 1.ª.

ALMUDENA. Mayor, 71. Telf. 248 64 25. P 1.ª.

ALONSO. Espoz y Mina, 17. Telf. 221 56 86 y 231 41 61. P 1.ª.

AMAYA. Concepción Arenal, 4. Telf. 221 36 18. P 1.ª.

HOSTAL AMERICA. Hortaleza, 19. Telf. 222 64 47-8. P 1.ª.

AMERICANA. Avda. de José Antonio, 76. Telf. 247 99 47. P 1.ª.

HOSTAL ANDALUCIA. Cuesta de Santo Domingo, 3. Telf. 247 97 02.

HOSTAL ARANZA. San Bartolomé, 7. P 1.ª.

ARANZAZU. Doctor Mata, 1. Telf. 239 86 01-2. P 1.ª.

ARDANAZ. Avda. de José Antonio, 52. Telf. 247 67 00. P 1.ª.

HOSTAL ARGÜELLES. Gaztambide, 59. Telf. 244 21 31 y 244 34 44. P 1.ª.

HOSTAL ARRATE. Gaztambide, 59. Telf. 244 30 63. P 1.ª.

ASTUR. Avda. de José Antonio, 64. Telf. 248 80 32. P 1.ª.

BARCENA. Peligros, 6. Telf. 221 58 21. P 1.ª.

HOSTAL BESAYA. San Bernardo, 13. Telf. 247 25 25. P 1.ª.

BILBAINA. León, 8, 2.º. Telf. 222 51 55. P 1.ª.

BUENOS AIRES. Avda. de José Antonio, 61 Telf. 247 88 00. P 1.ª.

HOSTAL CALPE-LINENSE. Carrera de San Jerónimo, 32. Telf. 222 57 57. P 1.ª.

HOSTAL EL CAMPEADOR. Víctor Pradera, 44, 1.º dcha. y 2.º izqda. Telf. 247 52 60 y 247 31 83. P 1.ª.

CAMPOS. Infantas, 32. P 1.ª.

HOSTAL CAPRI. Batalla del Salado, 1. Telf. 227 54 87. P 1.ª.

LA CARRANZANA. Espoz y Mina, 4 y 6. Telf. 221 31 14. P 1.ª.

CARRERA. Carrera de San Jerónimo, 30. Telf. 231 51 78. P 1.ª.

HOSTAL CESPEDES. Fuentes, 9, 3.º. Telf. 241 50 00-9. P 1.ª.

HOSTAL CISNEROS. Montserrat, 9. Telf. 224 60 83. P 1.ª.

HOSTAL CONCEPCION ARENAL. Concepción Arenal, 6, 3.º. Telf. 222 68 83. P 1.ª.

HOSTAL LA CONDESA. Espíritu Santo, 44. Telf. 232 32 57. P 1.ª.

HOSTAL CONDESTABLE. Puebla, 15. Telf. 232 62 01-2. P 1.ª.

HOSTAL CONSULADO. Atocha, 34, 3.º. Telf. 239 15 48. P 1.ª.

LA COSTA VERDE. Avda. de José Antonio, 61. Telf. 247 63 45. P 1.ª.

HOSTAL COVADONGA. Magdalena, 17. Telf. 230 50 17 y 227 60 50. P 1.ª.

HOSTAL LOS CUATRO TIEMPOS. Travesía de Trujillos, 3. Telf. 221 30 53. P 1.ª.

HOSTAL CHOCOLATE. Joaquín María López, 29. Telf. 243 83 23. P 1.ª.

DELICIAS. Avda. de José Antonio, 29. Telf. 221 80 21. P 1.ª.

DON JUAN. Recoletos, 18. Telf. 225 21 90 y 225 53 21. P 1.ª.

HOSTAL EL DONCEL. Hortaleza, 19. Telf. 222 41 63. P 1.ª.

HOSTAL DUQUE. Amaniel, 7. P 1.ª.

HOSTAL ELY. San Mateo, 21. Telf. 224 01 10 P 1.ª.

HOSTAL ESMERALDA. Victoria, 1, 2.º. Telf. 221 64 73. P 1.ª.

HOSTAL ESPARTEROS. Esparteros, 12. Telf. 221 09 03. P 1.ª.

ESPLENDIDA. Avda. de José Antonio, 15. Telf. 227 47 37. P 1.ª.

ESTRELLA. Peligros, 6. Telf. 222 84 92. P 1.ª.

HOSTAL EUREKA. Montera, 7. Telf. 231 94 60. P 1.ª.

FENIX. Concepción Arenal, 6. Telf. 231 41 20. P 1.ª.

FERMINA. Zorrilla, 7. Telf. 222 66 81. P 1.ª.

FERRER. Ferrer del Río, 8. Telf. 255 62 74. P 1.ª.

FILO. Plaza de Santa Ana, 15. Telf. 221 85 50. P 1.ª.

HOSTAL FLORIDO. Campomanes, 10. Telf. 247 65 01-2. P 1.ª.

HOSTAL FUENCARRAL. Fuencarral, 43. Telf. 232 20 01 y 232 14 92. P 1.ª.

GIL. Maestro Vitoria, 3. Telf. 221 30 01. P 1.ª.

GRAN MOGOL. Paseo de Calvo Sotelo, 12. Telf. 225 16 90-9. P 1.ª.

HOSTAL GUZMAN EL BUENO. Guzmán el Bueno, 21. Telf. 244 54 01-2. P 1.ª.

HESPERIA. Avda. de José Antonio, 56. 4.º. Telf. 247 26 36. P 1.ª.

HISPANIA. Avda. de José Antonio, 44. Telf. 221 67 72. P 1.ª.

HOSTAL HISPANO. Hortaleza, 38. Telf. 231 48 71 y 221 87 80. P 1.ª.

HOGAR IBERICO. Barquillo, 36. Telf. 231 61 19. P 1.ª.

HOSTAL HORCHE. Gaztambide, 59. Telf. 243 42 42. P 1.ª.

IRUÑA. Plaza de Santa Ana, 15. Telf. 221 02 41. P 1.ª.

ISABEL. Salud, 13. Telf. 231 37 01-2. P 1.ª.

ISABEL II. Arrieta, 4. Telf. 241 28 00. P 1.ª.

JEYMA. Arenal, 24. Telf. 248 77 93. P 1.ª.

LAURIA. Avda. de José Antonio, 50. Telf. 247 12 27. P 1.ª.

LEVANTE. Postigo de San Martín, 6. Telf. 222 67 57. P 1.ª.

LORENZO. Infantas, 26. Telf. 221 30 57. P 1.ª.

LUENGO. Avda. de José Antonio, 33. Telf. 222 71 82. P 1.ª.

HOSTAL LA MACARENA. Cava de San Miguel, 8. Telf. 231 74 00-8-9 (centralita). P 1.ª.

HOSTAL LOS MADROÑOS. Baltasar Bachero, 60. Telf. 239 84 04. P 1.ª.

HOSTAL MARBELLA. Plaza de Isabel II, 5, 2.º. Telf. 247 61 48. P 1.ª.

HOSTAL MARF. Valverde, 9, 4.º. Telf. 232 32 28. P 1.ª.

MARIA. Miguel Moya, 4. Telf. 221 48 38 y 221 48 43. P 1.ª.

MARIMART. Puerta del Sol, 14. Telf. 222 98 15. P 1.ª.

LA MARINA. Carmen, 19. Telf. 221 15 50. P 1.ª.

HOSTAL MARLASCA. Cruz, 14. Telf. 221 48 33-8. P 1.ª.

HOSTAL MAYTERGO. Esparteros, 11. Telf. 231 91 75. P 1.ª.

HOSTAL MEDIEVAL. Fuencarral, 46, 2.º izqda. Telf. 232 21 37. P 1.ª.

MERCEDITAS. Flora, 4. Telf. 248 61 11. P 1.ª.

MILAN. Avda. de José Antonio, 22. Telf. 221 29 36-7. P 1.ª.

MILLAN. Gonzalo Jiménez de Quesada, 2. Telf. 222 35 45. P 1.ª.

MONJE. Avda. de José Antonio, 15. Telf. 232 03 15. P 1.ª.

HOSTAL MONTE JARDIN. Jardines, 10. Telf. 231 44 47. P 1.ª.

HOSTAL NARVAEZ. O'Donnell, 27. Telf. 276 86 38 y 275 01 07 P 1.ª.

HOSTAL NAVA. Plaza del Celenque, 3. Telf. 222 53 60-4. P 1.ª.

HOSTAL NAVARRA. Avda. de José Antonio, 56. Telf. 247 26 32. P 1.ª.

NEBRIJA. Avda. de José Antonio, 67. Telf 247 73 19. P 1.ª.

NOTRE DAME. Avda. de José Antonio, 49 Telf. 247 26 15 y 247 98 31. P 1.ª.

HOSTAL NUESTRA SEÑORA DE LORETO O'Donnell, 27. Telf. 276 69 01. P 1.ª.

NUESTRA SEÑORA DE LA PEÑA DE FRANCIA. Preciados, 44. Telf. 222 64 63 (centralita). P 1.ª.

HOSTAL O'DONNELL. O'Donnell, 27. Telf. 276 64 17. P 1.ª.

ORIENTE. Arenal, 23. Telf. 248 03 14. P 1.ª.

OTTE. General Goded, 5. Telf. 224 84 16. P 1.ª.

PEÑA. Salud, 13. Telf. 222 01 15. P 1.ª.

PEREDA. Valverde, 3. Telf. 221 40 83. P 1.ª.

LA PILARICA. Conde de Aranda, 5. Telf. 226 56 57. P 1.ª.

PIQUIO. Arenal, 15. Telf. 228 24 23. P 1.ª.

HOSTAL QUINTANA. Tetuán, 19. Telf. 222 83 25. P 1.ª.

RAF. Fuente del Berro, 29. Telf. 255 86 44. P 1.ª.

RAMIREZ. Tetuán, 19. Telf. 231 34 75. P 1.ª.

RAMOS. Barbieri, 9. Telf. 221 44 68. P 1.ª.

REGIONAL. Concepción Arenal, 6. Telf. 222 61 27. P 1.ª.

HOSTAL REGIONAL. Príncipe, 18. Telf. 222 33 73. P 1.ª.

HOSTAL RIBADAVIA. Fuencarral, 25. Telf. 231 10 58. P 1.ª.

RIO. Mesonero Romanos, 11. Telf. 231 98 04. P 1.ª.

ROLDAN. General Pardiñas, 62. Telf. 225 99 73. P 1.ª.

RUSADIR. Echegaray, 5. Telf. 221 87 34. P 1.ª.

SAN MIGUEL. Avda. de José Antonio, 56, 2.º. Telf. 247 26 31. P 1.ª.

SANTA BARBARA. Plaza de Santa Bárbara, 4. Telf. 224 61 19. P 1.ª.

HOSTAL SANTA CRUZ. Plaza de Santa Cruz, 6. Telf. 222 70 95. P 1.ª.

SEGOVIA. Chinchilla, 7. Telf. 221 26 07. P 1.ª.

LA SELECTA. Avda. de José Antonio, 15. Telf. 221 46 65. P 1.ª.

HOSTAL SOTILEZA. Arenal, 15. Telf. 248 50 06-7. P 1.ª.

SUD-AMERICANA. Paseo del Prado, 12. Telf. 239 16 34. P 1.ª.

HOSTAL SUIZA ESPAÑOLA. Carrera de San Jerónimo, 32. Telf. 221 22 82. P 1.ª.

TANGER. Avda. de José Antonio, 44. Telf. 221 75 85. P 1.ª.

TENERIFE. Avda. de José Antonio, 22. Telf. 211 98 75. P 1.ª.

TERAN. Esparteros, 10, 3.º. Telf. 222 87 02. P 1.ª.

TINEO. Victoria, 6. Telf. 221 49 43. P 1.ª.

TIRSO. Tirso de Molina, 13. Telf. 227 23 37. P 1.ª.

TRIANA. Salud, 13. Telf. 222 97 61. P 1.ª.

VALLS. Goya, 5. Telf. 225 47 12. P 1.ª.

LA VASCONGADA. Carmen, 12. Telf. 221 33 33. P 1.ª.

VASCONGADA. Prado, 18. Telf. 222 02 27. P 1.ª.

HOSTAL VAZQUEZ DE MELLA. Plaza de Vázquez de Mella, 1. Telf. 222 31 01 y 222 32 14. P 1.ª.

VICTORIA. Carretas, 7. Telf. 221 14 30. P 1.ª.

VIGO. Plaza de Santo Domingo, 16. Tel 247 38 27. P 1.ª.

HOSTAL VILLAR. Príncipe, 18. Tel 221 96 58. P 1.ª.

YLLERA. Velázquez, 29. Telf. 225 16 35. P 1.

ZARAGOZA. Príncipe, 23. Telf. 231 21 04-5 P 1.ª.

APARTAMENTOS TURISTICOS
APPARTEMENTS TOURISTIQUES
TOURIST APARTMENTS
APARTEMENTHÄUSER

LOS JERONIMOS. Moreto, 9. 1.ª C.

ROMERO. Plaza de San Juan de la Cruz, 7. 1.ª C.

ACAMPAMENTOS TURISTICOS
CAMPINGS
CAMPING SITES
ZELTPLÄTZE

MADRID. Km. 7 Ctra. Madrid-Burgos. 2.ª C.

OSUNA. Km. 15,5 Ctra. Ajalvir-Vicálvaro. 1.ª C.

RESTAURANTES
RESTAURANTS
RESTAURANTS
RESTAURANTS

Categoría de lujo — Catégorie de luxe
Luxury Class — Luxusklasse

EL BODEGON. Paseo de la Castellana, 51. Telf. 257 01 43.

BELLMAN (HOTEL SUECIA). Los Madrazo, 19. Telf. 231 69 00.

CASTELLANA HILTON (HOTEL). Paseo de la Castellana, 55. Telf. 257 06 00.

CLUB 31. Alcalá, 58. Telf. 221 66 22.

COMMODORE. Serrano, 145. Telf. 261 86 06.

HORCHER. Alfonso XII, 6. Telf. 222 07 31.

EL ESCUADRON. Bárbara de Braganza, 10. Telf 231 90 88.

FENIX (HOTEL). Paseo de la Castellana, 2. Telf. 276 17 00.

EL FOGON WELLINGTON. Villanueva, 32. Telf. 275 52 00.

JOCKEY. Amador de los Rios, 6. Telf. 224 04 67.

JOSE LUIS. Rafael Salgado, 11. Telf. 259 31 09.

LA LANGOSTA AMERICANA. Ricardo León, 5. Telf. 247 02 00.

LAS LANZAS. Espalter, 8-10. Telf. 230 50 79.

LHARDY. Carr.ª de San Jerónimo, 8. Telf. 221 33 85.

PALACE (HOTEL). Plaza de las Cortes, 7. Telf. 232 08 22.

PALACIO DEL RESTAURANTE. Avda. de José Antonio, 35. Telf. 231 67 86.

PARRILLA PLAZA. Plaza de España, Telf. 247 12 00.

PAVILLON (verano). Parque del Retiro. Telf. 226 16 93.

PUERTA DE MOROS. Don Pedro, 10. Telf. 265 77 56.

RITZ (HOTEL). Plaza de la Lealtad. Telf. 221 58 02.

Primera categoría
Première catégorie
First Class
1er Klasse

ACERO - RIESGO. Princesa, 61. Telf. 248 65 44.

ALDUCCIO. Avda. Concha Espina, 8. Telf. 250 00 77. (Italiano). (1).

ALKALDE. Jorge Juan, 10. Telf. 276 33 59.

ANTICUARIO. Plaza del Marqués de Comillas, 2. Telf. 265 13 84.

BAJAMAR. Avda. de José Antonio, 78. Telf. 248 59 03.

LA BARRACA Y ANEXO. Reina, 29-31. Telf. 232 14 93. (Valenciano). (2).

BAVIERA. Alcalá, 33. Telf. 221 55 39. (Catalán). (3).

EL BERGANTIN. Montalbán, 9. Telf. 231 75 45.

BÓSFORO. Concepción Arenal, 6. Telf. 222 88 59.

BREDA. Paseo de la Castellana, 78. Telf. 261 92 13.

BUFFET ITALIANO. Carrera de San Jerónimo, 21. Telf. 221 33 13.

COTO. Plaza de la Lealtad, 1. Telf. 221 79 08.

CUEVAS DE LUIS CANDELAS. Cuchilleros, 1. Telf. 231 16 33.

EL CHARRO. San Leonardo, 3. Telf. 247 54 39. (Mejicano) (4).

FLORIDA PARK (verano) (5). Parque del Retiro. Telf. 273 56 86.

LA FRAGUA. Ortega y Gasset, 6. Telf. 276 40 33.

EL GALEON. Velázquez, 80. Telf. 276 58 58.

GURE ETXEA. Plaza del Marqués de Comillas, 12. Telf. 265 61 49.

HOSTAL PRINCIPE DE VIANA. Doctor Fleming, 7. Telf. 259 14 48.

LA HOSTERIA DEL LAUREL. Miguel Moya, 6. Telf. 222 79 73.

HORNO SAN MIGUEL. Marqués de la Ensenada, 4. Telf. 231 21 82.

HORNO SANTA TERESA. Santa Teresa, 12. Telf. 232 14 80.

LIBANIOS. Postigo de San Martín, 5. Telf. 232 31 46.

KORINTO. Preciados, 46. Telf. 232 00 38.

MEXICO LINDO. Plaza de la República del Ecuador, 4. Telf. 259 10 57.

LA MASIA. Hileras, 4. Telf. 248 29 14. (Catalán) (3).

MILFORD. Juan Bravo, 7. Telf. 275 80 80.

NUEVO VALENTIN. Concha Espina, 8. Telf. 259 75 55.

LA OSTRERIA. Libreros, 2. Telf. 247 72 40.

O'XEITO. Paseo de la Castellana, 55. Telf. 257 22 00.

PIZZERIA. Avda. del Generalisimo, 47. Telf. 234 11 94.

MESON DEL POLLO. Plaza de la Provincia, 3. Telf. 231 19 47.

LOS PORCHES. Pintor Rosales, 1. Telf. 231 85 85.

EL PULPITO. Plaza Mayor, 9. Telf. 232 14 21.

RIESGO. Peligros, 1. Telf. 222 16 40.

RISCAL. Marqués de Riscal, 11. Telf. 223 62 06.

SENADO. Torija, 7. Telf. 247 15 02.

SICILIA - MOLINERO. Avda. de José Antonio, 1. Telf. 231 19 26.

EL SOTO. Silva, 11. Telf. 247 11 29.

EL TRABUCO. Mesonero Romanos, 17. Telf. 231 01 25. (Vasco) (6).

VALENTIN. San Alberto, 3. Telf. 231 00 35.

WAMBA. Bola, 9. Telf. 247 69 30.

ZAGORA. Reina, 31. Telf. 221 55 66.

AEROPUERTO DE BARAJAS. Aeropuerto Internacional (7). Telf. 205 42 33.

ALADIN. Doctor Fleming, 33. Telf. 250 09 02.

BORGUESSE. Concha Espina, 39. Telf. 259 11 90.

CHALET SUIZO. Fernández de la Hoz, 80. Telf. 234 99 84.

LA ESTANCIA. Hermosilla, 81. Telf. 275 58 19.

HOUSE OF MING. Paseo de la Castellana, 74. Telf. 261 98 27.

JAI-ALAI. Balbina Valverde, 2. Telf. 261 33 81.

MAYTE. General Mola, 285. Telf. 261 21 81.

ONDARRETA. Avda. del Generalisimo, 56.

LA OSTRERIA. Alcalá, 145. Telf. 225 20 12.

PANCHO PUSKAS. Panamá, 3. Telf. 259 31 98.

QUEEN-BESS. Avda. del Generalisimo, 57. Telf. 259 11 35.

LA RIVIERA. Avda. del Manzanares, 1. Telf. 265 24 15.

RONCESVALLES. Benito Gutiérrez, 1. Telf. 243 84 13.

SEÑORIO DE BERLITZ. Comandante Zorita, casas 4 y 6. Telf. 253 01 43.

SIXTO. Cervantes, 28. Telf. 239 41 06.

TERAN. Aduana, 19. Telf. 222 57 98.

TIN-TONG. Jardines, 25.

TORRES BERMEJAS. Mesonero Romanos, 15.

LE BEAUJOLAIS. Plaza del Marqués de Comillas, 10. Telf. 265 11 63.

HOGAR GALLEGO. Plaza del Comandante Las Moreras. Telf. 248 64 04.

GURIA. Huertas, 12. Telf. 239 16 36.

(1) *Italien.* Italian. *Italienisch.* (2) *Valencien.* Valencian. *Valencianisch.* (3) *Catalan.* Catalan. *Katalanisch.* (4) *Mexicain.* Mexican. *Mexikanisch.* (5) *Eté.* Summer. *Nur im Sommer.* (6) *Basque.* Basque. *Baskisch.* (7) *Aéroport National.* International Airport. *Internationaler Flughafen.*

LE BISTROQUET. Conde, 4. Telf. 247 10 75. (Francés) (1).
CASA FRANCO. Lino, 4. Telf. 233 55 36.
CASA VASCA. Victoria, 2. Telf. 222 06 18. (Vasco) (2).
CELLER MALLORCA. Flor Alta, 8. Telf. 231 91 57.
LA CRIOLLA. Fuencarral, 73. Telf. 231 01 20.
CHINA RESTAURANT. Valverde, Telf. 232 31 15.
LA CHULETA. Echegaray, 24. Telf. 221 79 12.
EDELWEISS. Jovellanos, 7. Telf. 221 03 26. (Alemán) (3).
GAMBRINUS. Zorrilla, 7 Telf. 221 92 03.
GAYANGO. Núñez de Arce, 6. Telf. 221 88 72.
GRAN MARISQUERIA. San Bernardo, 106. Telf. 257 01 13.
GRAN TABERNA. Valverde, 5. Telf. 231 29 51.
HEIDELBERG. Zorrilla, 6. Telf. 221 57 84.
LUIGI'S. Paseo de la Castellana, 78. Telf. 261 92 13.
MESON DE SAN ISIDRO. Costanilla San Andrés, 16. Telf. 265 11 64.
MESON DEL SEGOVIANO. Cava Baja, 35. Telf. 265 32 52.
LOS MOTIVOS. Ventura de la Vega, 10. Telf. 232 27 22.
LA OSTRERIA. Cruz, 10. Telf. 232 05 83.
PAGODA. Leganitos, 22. Telf. 247 51 06. (Chino) (4).
LE PANAME. Isabel la Católica, 17. Telf. 247 22 32. (Francés) (1).
PIZZERIA SERENELLA. G. J. de Quesada, 2. Telf. 222 43 51. (Italiano) (5).
RANCHO TRANQUILINO. Jardines, 3. Telf. 221 22 17. (Argentino) (6).
SHANGRI-LA. Leganitos, 26. Telf. 241 11 73. (Chino) (4).
SOBRINOS DE BOTIN. Cuchilleros, 17. Telf. 221 03 08.
VALENCIA. Avda. de José Antonio, 44. Telf. 232 01 50.
AGUDO. Almansa, 62. Telf. 234 50 66.
ANGULO. Almansa, 70. Telf. 234 50 27
AVENIDAS. Avda. Baviera, 7.
AZTECA. Silva, 17.
BIARRITZ. Almansa, 66. Telf. 233 34 97.
EL BOSQUE. Almansa, 77. Telf. 234 76 00.
CASA PEDRO. Nuestra Señora de Valverde, 79. Telf. 209 10 08.
EL CIGARRAL. Plaza de Celenque, 1. Telf. 265 87 85.
CORDERO. Avda. de Aragón, 2. Telf. 204 10 13.
EL CORGO. Rollo, 8. Telf. 248 23 23.
LA DANZA. Fernando el Católico, 44.

FIGON DE SANTIAGO. Santiago, 9 Telf. 248 51 21.
GIJON. Avda. de Calvo Sotelo, 21. Telf. 221 54 25.
LLANO. Hortaleza, 116. Telf. 231 62 33.
LA MESETA. General Gallegos, 1.
MESON AUTO. Paseo de la Chopera, 69. Telf. 239 66 00.
MESON DEL CORREGIDOR. Plaza Mayor, 8 y 9.
MESON DE LOS MANCEBOS. Mancebos, 16.
LA OSTRERIA. López de Hoyos, 93. Telf. 215 30 15.
EL PENDON DE CASTILLA. Avda. de Nazaret, 8. Telf. 273 11 15.
EL PESEBRE. Flor Baja, 5. Telf. 241 37 93.
POLO. Avda. de Aragón, 361. Telf. 88 de San Fernando de Henares.
POLLO BLANCO. Postigo de San Martín, 6. Telf. 222 21 59.
POLLOITO. Concha Espina, 4. Telf. 259 31 11.
LA PRENSA. Concepción Arenal, 3. Telf. 232 01 75.
LAS RESES. Plaza del General Maroto, 2. Telf. 239 00 63.
LA SUERTE. Avda. de Bruselas, 74. Telf. 246 46 66.
EL TREBOL. Manuel Roses Vila, s/n. Telf. 291 00 00.
LA TROPICAL. Correo, 2. Telf. 221 30 04.
VILLA RIO. Avda. del Generalísimo, 22. Telf. 261 11 36.
EL CALLEJON. Ternera, 6. Telf. 222 54 01.
PISCINA TABARCA. Avda. de Aragón, 299. Telf. 205 06 87.

(1) *Français*. French. *Französich*. (2) *Basque*. Basque. *Baskisch*. (3) *Allemand*. German. *Deutsch*. (4) *Chinois*. Chinese. *Chinesisch*. (5) *Italien*. Italian. *Italienisch*. (6) *Argentin*. Argentine. *Argentinisch*.

ALEJANDRO. Jacometrezo, 14. Telf. 247 38 19.
ALFONSO ROJO. Echegaray, 20. Telf. 222 27 09.
CASA DOMINGO. Postigo San Martín, 3. Telf. 222 72 17.
CASA JACINTO. Jacometrezo, 7. Telf. 247 51 40.
CASA MARTIN. Hartzenbusch, 9. Telf. 257 40 28.
CASA MANOLO. Princesa, 83. Telf. 243 10 19.
CASA MINGO. Echegaray, 27. Telf. 231 91 34.
CASA PACO. Puerta Cerrada, 11. Telf. 231 51 95.

SA RICARDO. Fernando el Católico, 31. elf. 257 01 82.

SA SARRIA. San Bernardo, 3. Telf. 247 34 29

SA SEVILLANO. Príncipe, 33. Telf. 32 01 85.

SA VALDES. Libertad, 3. Telf. 232 20 52.

CALLEJON. Ternera, 6. Telf. 222 54 01.

CHOTIS. Cava Baja, 11. Telf. 265 11 53.

PILAR. Ventura de la Vega, 13. Telf. 22 09 59.

IAN ROJO. Ventura de la Vega, 5. Telf. 22 48 66.

GRAN TASCA. Ballesta, 1. Telf. 31 00 44.

TRUCHA. Manuel Fernández González, Telf. 231 90 78.

PERLA ASTURIANA.· Villanueva, 15. elf. 276 00 09.

`ARO. Zorrilla, 9. Telf. 222 14 08.

SON DEL BACALAO. Núñez de Arce, Telf. 232 30 90.

SON DEL CONDE. Pelayo, 82. Telf. 32 30 53.

NGOTE. Valverde, 6. Telf. 221 68 28.

TE PICOS. Infantas, 30 Telf. 222 07 68.

3OGAN. Mayor, 1. Telf. 231 36 00. (Auto-ervicio) (1).

Cuarta categoría
Quatrième catégorie
Fourth Class
4er Klasse

SA CIRIACO. Mayor, 88. Telf. 248 50 66.

SA SALVADOR. Barbieri, 12. Telf. 21 45 24.

CARIOCA. Ventura de la Vega, 12. Telf. 32 15 26.

CRUZADA. Cruzada, 1. Telf. 248 01 31.

COCINA DE ORO. Echegaray, 11. elf. 232 14 35.

MUEL. Lagasca, 33. Telf. 275 37 15.

LAMANCA. Cádiz, 7. Telf. 221 56 73.

SANTUARIO. Ventura de la Vega, 11. elf. 231 84 46.

A MADRID. M. Fernández y Gon-ález, 7. Telf. 232 15 32.

En las afueras de Madrid
Dans les environs de Madrid
On the Outskirts of Madrid
Ausserhalb Madrids

ERTA DE HIERRO. Ctra. (1) La Coruña, .m. 5. Telf. 236 23 27. 1.ª C.

ERTA VERDE. Ctra. La Coruña, Km. 5. elf. 247 50 83. 3.ª C.

PERGOLA. Ctra. La Coruña, Km. 8. elf. 207 02 08. 1.ª C.

Self-service.
Self-service.
Selbstbedienung.

NUEVA ROMANA. Ctra. La Coruña, Km. 9,200.

BURUCHAGA. Ctra. de Francia, Km. 25,300. 2.ª C.

ATERPE ALAI. Ctra. de Irún, Km. 25. Telf. 44 de San Sebastián de los Reyes. 1.ª C.

PLAYA DE MADRID. Ctra. de El Pardo, Km. 7. Telf. 236 10 11. 1.ª C.

PARQUE MOROSO. Ctra. La Coruña, Km. 12,700. Telf. 207 72 30. 2.ª C.

NUEVA MONTAÑA. El Plantío. Ctra. La Coruña, Km. 15. Telf. 207 73 04. 2.ª C.

GRANJA SIBARIS. Las Rozas, Ctra. La Coruña, Km. 17. Telf. 2. 2.ª C.

RANCHO CRIOLLO. Las Rozas. Ctra. La Coruña, Km. 16,700. Telf. 71. 1.ª C.

CASA GALLEGA. Las Rozas. Ctra. La Coruña, Km. 21. Telf. 72. 3.ª C.

CASA MARIANO. Las Rozas. Ctra. La Coruña, Km. 17,800. Telf. 3 y 241. 3.ª C.

CALIFORNIA. Las Matas. Ctra. La Coruña, Km. 26. Telf. 330. 3.ª C.

EL MESON DE FUENCARRAL. Ctra. Colmenar Viejo, Km. 13,5. Telf. 209 10 19.

HALCON DE ORO. Ctra. Colmenar Viejo, Km. 13,5.

GRAN HOSTAL. Ctra. Miraflores de la Sierra, Km. 32.

SARRAU. Ctra. Irún, Km. 10,5, por Fuen-carral. Telf. 241 69 99. 2.ª C.

EL CHALET. Ctra. de Zaragoza, Km. 12,120. Telf. 205 32 12.

MESON DEL CORDERO. Ctra. de Zara-goza, Km. 12. Telf. 205 32 71. 3.ª C.

LAS MORERAS. Ctra. de Zaragoza, Km. 13. Telf. 63 de San Fernando de Henares. 3.ª C.

LA RABIDA. Ctra. de Zaragoza, Km. 12,300. Telf. 285 44 00. 2.ª C.

TEJAS VERDES. San Sebastián de los Reyes. Ctra. de Burgos, Km. 17. Telf. 82. 2.ª C.

LE RELAIS. San Sebastián de los Reyes. Ctra. de Burgos, Km. 18. Telf. 4.

EL MESON DE ALCOBENDAS. Ctra. de Burgos, Km. 13,500.

LAS TRES CHIMENEAS. Ctra. de Burgos, Km. 18. Telf. 83 de San Sebastián de los Reyes.

LAS TINAJAS. Ctra. de Extremadura, Km. 23

ESPECIALIDADES GASTRONOMICAS

Cocido madrileño.
Sopa de ajo.
Potaje madrileño.
Judías a la madrileña.
Besugo al horno.
Sopa de almendras.
Callos.
Churros.

---

(1) Route.
Road.
Strasse.

SPECIALITES GASTRONOMIQUES

Pot au feu madrilène.
Soupe à l'ail.
Potage madrilène
Haricots à la madrilène.
Rousseau au four.
Soupe aux amandes.
Tripes.
Churros (beignets).

GASTRONOMIC SPECIALITIES

Cocido Madrileño (Hot pot Madrid style).
Garlic soup.
Stew Madrid style.
Kidney beans Madrid style.
Roast bream.
Almond soup.
Tripe.
«Churros» (type of doughnut).

SPEZIALITÄTEN

Gemüsetopf mit Kalbsfleisch auf madrider Art.
Knoblauchsuppe.
Gemüsesuppe auf madrider Art.
Gebackene Meerbrassen.
Mandelsuppe.
Kuttelfleck auf madrider Art.
Churros (süsses Ölgebäck)

Vinos
Vino de Arganda.

Vins
Vin d'Arganda.

Wines
Wine from Arganda.

Weine
Arganda Wein.

CAFETERIAS - CAFETERIAS
CAFES - KAFFEE

ALBANY. General Pardiñas, 8. Telf. 275 00 06.
ACERO RIESGO. Princesa, 61. Teléfono 248 65 44.
AITANA. Avda. Generalísimo, 42. Teléfono 259 31 26.
ARRANZ. José Ortega y Gasset, 55. Teléfono 275 45 71.
ATENAS. Tetuán, 19. Telf. 231 00 19.
BASARRI. López de Hoyos, 16. Teléfono 276 00 79.
BIRTE. Alberto Aguilera, 29. Telf. 247 43 44.
CALIFORNIA. Plaza del Callao, 7. Teléfono 232 14 87.
CALIFORNIA. Goya, 21. Telf. 275 01 47.
CALIFORNIA. Goya, 47. Telf. 275 69 14.
CALIFORNIA. Avda. José Antonio, 39. Teléfono 232 14 87.

CALIFORNIA. Avda. José Antonio, 49. léfono 247 11 26.
CALIFORNIA. Marqués de Valdeiglesias Telf. 231 51 51.
CONDE DUQUE. Plaza Conde Valle Such Telf. 257 81 31.
CUBASOL. Plaza Canalejas, 6. Telf. 231 51
DERBY. Arlabán, 7. Telf. 222 79 58.
EDEN. Avda. Concha Espina, 6. Teléf 259 31 06.
EMPERATRIZ. López de Hoyos, 4. T fono 276 00 36.
ESLA. Espoz y Mina, 1. Telf. 231 03 76.
FLORIDITA. Alberto Aguilera, 10. T 257 80 08.
FUENTESILA. Avda. José Antonio, 25. léfono 232 00 87.
GRANJA CALLAO. Avda. José Antonio, Telf. 232 31 37.
GENOVA. Génova, 20. Telf. 219 34 77.
GIJON. Calvo Sotelo, 21. Telf. 221 54 25
HONTANARES. Sevilla, 6. Telf. 221 17 4'
INCA. Serrano, 230. Telf. 259 10 38.
IRUÑA. Avda. José Antonio, 52. Teléf 247 09 27.
JADE. Dr. Fleming, 31. Telf. 250 32 12.
FLOR DE AZAHAR. Alcalá, 141. Teléf 276 41 73.
LA MADRILEÑA. Tirso de Molina, 13. léfono 230 30 77.
LA NAVE. Carrera San Jerónimo, 14. T fono 221 06 62.
LIBRA. Arenal, 15. Telf. 247 11 43.
LION. Alcalá, 59. Telf. 275 00 51.
LOS SOTANOS. Avda. José Antonio, Telf. 247 29 48.
LOUISIANA. San Bernardo, 5 y 7. T fono 241 16 35.
MANILA. Avda. José Antonio, 41. T fono 232 15 65.
MANILA. Carmen, 4. Telf. 232 34 44.
MANILA. Génova, 21." Telf. 219 10 19.
MANILA. Diego de León, 41. Telf. 262 12
MINDANAO. Paseo San Francisco de Sales Telf. 243 31 74.
MONTANA. Goya, 5. Telf. 276 41 13.
MONTESOL. Montera, 25. Telf. 232 24 7
MONTESTORIL. Avda. José Antonio, Telf. 247 10 10.
MORRISON. Arapiles, 13. Telf. 257 38
NEBRASKA. Alcalá, 18. Telf. 221 19 27.
NEBRASKA. Mayor, 1. Telf. 221 58 00.
NEBRASKA. Avda. de José Antonio, Telf. 222 63 08.
PICK. Avda. de José Antonio, 66. 241 91 07.
PLAZA. Avda. José Antonio, 55. Tel no 248 50 78.
PLAZA. Avda. José Antonio, 86. Tel no 241 10 18.
PLAZA. Princesa, 1. Telf. 241 11 11.
RATO. Guzmán el Bueno, 95. Telf. 243 30
RIOBAMBA. Fuencarral, 9. Telf. 221 51 7
ROCAS BLANCAS. Miguel Angel, 26. léfono 257 80 63.
RUISOL. Dr. Fléming, 42. Telf. 250 59

_EC. Concha Espina, 12. Telf. 259 31 30.
·SI. Sagasta, 34. Telf. 257 00 54.
MOSIERRA. Fuencarral, 135. Teléfono :24 44 53.
·AS. Caballero de Gracia, 2. Telf. 231 91 65.
·OL. Marqués de Urquijo, 4. Telf. 247 10 85.
·RELA. Preciados, 37. Telf. 241 11 28.
·GO. Goya, 17. Telf. 225 77 54.
·GO. Princesa, 76. Telf. 243 14 46.
·GO. Serrano, 34. Telf. 276 01 73.
·BANA CLUB. Avda. América, 18. Teléfono 256 01 24.
·HARA. Avda. José Antonio, 31. Teléfono 231 51 84.
·DIAC. Agustín de Foxá, 18. Telf. 235 10 69.

LIBRERIAS - LIBRAIRIES
BOOKSHOPS - BUCHHANDLUNGEN

·RERIA AGUILAR. Serrano, 24; Goya, 18. Generalísimo, 44.
·RERIA ABRIL. «Exposición de Arte». Areal, 18.
·RERIA ARMENTEROS. Víctor Pradera, 8.
·RERIA BAILLY-BAILLIERE. Plaza de Santa Ana, 10.
·RERIA BRUÑO. Joaquín Costa, 21.
·RERIA CAIREL. Paseo del Prado, 14.
·RERIA CAMINO. General Mola, 280.
·RERIA CASTILLO. San Bernardo, 113.
·RERIA S. M. General Alvarez de Castro,·1.
·RERIA ABEGONDO. Martínez Izquierdo, 90.
·RERIA CIENTIFICA GENERAL. Preciados, 48.
·RERIA CIENTIFICA MEDICA. Plaza Monloa, 3 y 4.
·RERIA CIENTIFICA MEDINACELI DEL CONSEJO SUPERIOR DE INVESTIGACIONES CIENTIFICAS. Duque de Medinaceli, 4.
·RERIA CIENTIFICO-MEDICA. Atocha,121.
·RERIA CISNE. Valverde, 43.
·RERIA CLAN. Espoz y Mina, 15.
·RERIA CORAZON DE MARIA. Ferraz 72.
CORTE INGLES. Preciados, 3; Goya 74.
EDITO DEL LIBRO. San Eugenio, 8.
·RERIA CUELLAR. Benito Gutiérrez, 17.
·RERIA DE ACCION CATOLICA ESPAÑOLA. Alfonso XI, 4.
·RERIA DE LOS BIBLIOFILOS ESPAÑOLES. Travesía del Arenal, 1.
·RERIA DE R. SAN MARTIN. Puerta del Sol, 6.
·RERIA DELPHOS. Fuencarral (pasaje), 77.
·RERIA DIAZ DE SANTOS. Lagasca, 38.
·RERIA ARAPILES. Arcipreste de Hita, 8.
·RERIA ALCORT. Generalísimo, 47.
·RERIA AFRODISIO AGUADO. Marqués de Cubas, 5.
·RERIA ANAQUEL. Conde de Peñalver, 36.
·RERIA BURGOS. Mayor, 65.
·RERIA BRUSELAS. Avda. Bruselas, 69.
·RERIA BERNO. Narváez, 35.
·RERIA CENTROPRESS. Génova, 23.
·RERIA CULTART. Bravo Murillo, 4.

LIBRERIA COMERCIAL. Eloy Gonzalo, 13.
LIBRERIA CAÑAS. Sierra Cadí, 7.
LIBRERIA CASA DE LA TROYA. Libreros, 6.
LIBRERIA CELSO GARCIA. Serrano, 52.
LIBRERIA COBOS. Magdalena, 1.
LIBRERIA CUESTA. P.º de las Delicias, 13.
LIBRERIA DIFUSORA DEL LIBRO. Bailén, 19.
LIBRERIA ESPASA CALPE. Avda. de José Antonio, 29; Barquillo, 28.
LIBRERIA EPESA. Goya, 21.
LIBRERIA ESTUDIANTIL. Pl. Santo Domingo, 19.
LIBRERIA ESTERAS. Peña Rubia, 3.
LIBRERIA EDITORIAL PUEYO. Arenal, 6; Pta. del Sol, 1.
LIBRERIA FORTUNA. Libreros, 4.
LIBRERIA FERNANDEZ AMPUERO. P.º de las Delicias, 42.
LIBRERIA FELIPA. Libreros, 16.
LIBRERIA GALERIAS PRECIADOS. Arapiles, 10; Preciados, 28.
LIBRERIA JULIAN GOMEZ. Felipe II, 2.
LIBRERIA GRAFICAS REUNIDAS. Barquillo, 8.
LIBRERIA HENARES. Esteban Mora, 51.
LIBRERIA RELIGIOSA HERNANDEZ. Paz, 4.
LIBRERIA CREDITO HERNANDO. Carretas, 21.
LIBRERIA HENFORT. Montera, 25.
LIBRERIA HISPANIA. San Bernardo, 1.
LIBRERIA INSULA. Benito Gutiérrez, 26.
LIBRERIA JOMAR. Goya, 71.
LIBRERIA JOCO. Bravo Murillo, 315.
LIBRERIA LIBYSON. Bravo Murillo, 5.
LIBRERIA MONTEMAR. Joaquín García Morato, 99.
LIBRERIA MAGAZINES. Pl. del Angel, 18.
LIBRERIA MEISSNER. José Ortega y Gasset, 34.
LIBRERIA DISTRIBUIDORA MAGALLANES. Magallanes, 38.
LIBRERIA MENDEZ. Ibiza, 23; Vallehermoso, 75.
LIBRERIA MATEY. Fuencarral, 127.
LIBRERIA MARTIN. Ríos Rosas, 64.
LIBRERIA NEBLI. Serrano, 80.
LIBRERIA NICOLAS MOYA. Carretas, 29.
LIBRERIA OXFORD. Avda. de la Habana, 56.
LIBRERIA COMERCIAL OCTUBRE. Bordadores, 6.
LIBRERIA ORTIZ. Bravo Murillo, 332.
LIBRERIA PAEZ. Alberto Aguilera, 64.
LIBRERIA PPC. Acebo, 54.
LIBRERIA PERGAMO. General Oraá, 24.
LIBRERIA PALMAS. Goya, 61.
LIBRERIA SANCHEZ CUESTA. Serrano, 29.
LIBRERIA REUS. Preciados, 6.
LIBRERIA SEI. Alcalá, 164.
LIBRERIA SAN PABLO. Carretas, 12.
LIBRERIA SALAZAR. Luchana, 9.
LIBRERIA SANZ. Bravo Murillo, 248.
LIBRERIA SARMA.
LIBRERIA SAN MARTIN. Pta. del Sol, 5.
LIBRERIA TAPIA. Campomanes, 5.
LIBRERIA TALENTUM. Núñez de Balboa, 53.
LIBRERIA UNIVERSITARIA. San Bernardo, 46.
LIBRERIA EDICIONES VERDAD. Mayor, 18.

LIBRERIA NORMA. Narváez, 43.
LIBRERIA VAHER. Costanilla de los Angeles, 15.
LIBRERIA ZAMORA. Pl. Mayor, 11.
DISTRIBUCIONES FERAN. Francisco Nava-cerrada, 17.
LIBRERIA DOSSAT, NACIONAL Y EXTRAN-JERA. Plaza de Santa Ana, 8.
L.E.A. LIBRERIA EDITORIAL AUGUSTINOS. Gaztambide, 75.
EDI. Y DISTRIBUCIONES DELSA, S. A. General Sanjurjo, 40, 1.º.
LIBRERIA-EDITORIAL OPE. Paz, 13.
LIBRERIA EL HOGAR Y LA MODA. Valverde, 28.
LIBRERIA ESCOLAR ARRIBAS. Pelicano, 15.
LIBRERIA ESPAÑA. Alcalá, 179.
LIBRERIA ESTUDIO. Goya, 113.
LIBRERIA EUROPA. Avda. José Antonio, 55 y 57.
LIBRERIA FERNANDO FE. Puerta del Sol, 14.
LIBRERIA FRANCO-ESPAÑOLA. Avda. José Antonio, 54.
QUIOSCO LA FUENTECILLA. Toledo, 82.
LIBRERIA FUENTETAJA. San Bernardo, 34.
LIBRERIA GALAN. Fernando VI, 21.
LIBRERIA GARCIA RICO. Desengaño, 13.
LIBRERIA SERVICIO COMERCIAL DEL LIBRO. Preciados, 42.
LIBRERIA GEOGRAFICA SUCAR. Joaquín María López, 68.
LIBRERIA GOG. Campoamor, 17.
LIBRERIA GUILLEN. Leganitos, 39.
LIBRERIA HERMANAS SANZ, S. L. Princesa, 77.
LIBRERIA, INGENIERIA Y ARTE (DE EDITORIAL DOSSAT, S. A.) Velázquez, 39.
I.C.A.I. Alberto Aguilera, 23.
LIBRERIA INTERNACIONAL. Velázquez, 70.
LIBRERIA JIMENEZ. Rodríguez San Pedro, 50.
LIBRERIA LA CERVANTINA. Pez, 21.
LIBRERIA LEON. Gaztambide, 55.
LIBRERIA LETRAS. Piamonte, 10.
LIBRERIA LUGA. López de Hoyos, 121.
LIBRERIA MANZANO. Espoz y Mina, 1.
LIBRERIA MAN. Montera, 25, 4.º, desp. 15.
LIBRERIA MAR-SAN (PAPELERIA). Paseo de las Delicias, 66.
LIBRERIA MARTIN. Lagasca, 62.
LIBRERIA MELCHOR GARCIA. San Bernardo, 18.
LIBRERIA MERCED. Ayala, 88.
LIBRERIA MHIDAL. Núñez de Arce, 11.
LIBRERIA MILITAR. Arenal, 23.
LIBRERIA MIRTO. Postigo de San Martín, 2.
LIBRERIA MODERNA. Ramón de la Cruz, 60.
LIBRERIA MUNDI-PRENSA. Castelló, 37.
LIBRERIA NACIONAL Y EXTRANJERA. Narváez, 7.
LIBRERIA NOBEL. Ferraz, 20.
LIBRERIA OLIVOS. Olivos, 21.
LIBRERIA-PAPELERIA ALPAFIL. Dr. Fourquet, 18.
LIBRERIA-PAPELERIA CARMONA. José Antonio de Armona, 26.

LIBRERIA-PAPELERIA EGOS. Ramón de Cruz, 27.
LIBRERIA-PAPELERIA LEPANTO. Alcalá, 2
LIBRERIA-PAPELERIA LICAR. Ayala, 4C
LIBRERIA-PAPELERIA MATI-RAFI. Avda. América, 2.
LIBRERIA-PAPELERIA MAVEXA. Cea B múdez, 49.
LIBRERIA-PAPELERIA DUQUE DE SEVIL Duque de Sevilla, 18.
LIBRERIA PARA BIBLIOFILOS LUIS BA DON. Plaza de San Martin, 1.
LIBRERIA PARANINFO. Meléndez Valdés,
LIBRERIA PEDRO PUEYO. Arenal, 16; J Ortega y Gasset, 55.
PAPELERIA PEÑA. Pza. Santo Domingo,
LIBRERIA PEÑALARA. San Isidro Labrador
LIBRERIA PEREZ GALDOS. Hortaleza, 5.
LIBRERIA PRO-CULTURA. Goya, 29.
LIBRERIA PROINTER. Puerta del Sol, 11.
LIBRERIA RELIGIOSA F. JIMENEZ «PAC Príncipe, 22.
LIBRERIA RELIGIOSA LUIS VIVAS. Paz,
LIBRERIA RELIGIOSA MOLINA. Conde Plasencia, 3.
LIBRERIA RENO. Monteleón, 11.
LIBRERIA RUBIÑOS. Alcalá, 98.
LIBRERIA SALESIANA M.ª AUXILIADO Plaza Gral. Primo de Rivera, 25.
LIBRERIA SENECA. Preciados, 27.
SIMAGO. Cartagena, 34; Hnos. Miralles, Albufera, 9.
LIBRERIA EL SOBRE VERDE. Alcalá, 2
LIBRERIA TRUQUE. Bolsa, 8.
LIBRERIA UNIVERSAL PORTELA. San B nardo, 35.
LIBRERIA VDA. DE ESTANISLAO ROD GUEZ. San Bernardo, 27.
LIBRERIA VILLEGAS. Preciados, 33
LIBRERIA Y CASA EDITORIAL HERNAND S. A. Arenal, 11.
LIBRERIA Y EXPOSICION BUCHHOLZ. S. Paseo de Calvo Sotelo, 3.
LIBRERIA Y PAPELERIA DE AGUSTIN. Isa Peral, 18.
LIBRERIA Y PAPELERIA ENCO. Martin los Heros, 70.
LIBRERIA Y PAPELERIA ISABELINA. Hi rión Eslava, 5.
LIBRERIA Y PAPELERIA TEMPRANO. C rranza, 27.
LIBRERIA YAGO. Oca, 63.

CORREOS, TELEGRAFOS
Y TELEFONOS
POSTES,
TELEGRAPHES ET TELEPHONES
POST AND TELEGRAPH OFFICES
AND TELEPHONE EXCHANGE
POST- UND TELEGRAPHENAMT

Correos-Postes
Post Offices-Postämter

CENTRAL Palacio de Comunicaciones.

Sucursales-Succursales
Branch Offices - Zweigstellen

Jorge Juan, 20.
Luis Vives, 12.
García Morato, 171.
Mejía Lequerica, 7.
Carrera de San Francisco, 17.
Diego de León, 2.
Santa Isabel, 57.
Serrano Jóver, 11.
Hermosilla, 103.
Alburquerque, 2.
Paseo de Extremadura, 122.
Magdalena, 12.
Avda. de América, 3.
Ríos Rosas, 26.
Plaza Marqués de Vadillo, 2 y 3.
Mercado de Pescados.
Manuel Arbós, 2.
Pizarro, 17.
Avda de Alfonso XIII.
Carretera de Aragón, 11.

Telégrafos-Télégraphes
Telegraph Offices-Telegraphenämter

CENTRAL. Palacio de Comunicaciones.

Sucursales-Succursales
Branch Offices-Zweigstellen

Jorge Juan, 22.
Mejía Lequerica, 7.
Diego de León, 2.
Santa Isabel, 55.
Serrano Jóver, 11.
Hermosilla, 103.
Magdalena, 12.

Teléfonos-Téléphones
Telephone Exchanges-Telephonamt

Central-Centrale
Head Office-Hauptzentrale

Avda. José Antonio, 28

Sucursales-Succursales
Branch Offices-Zweigstellen

Hermosilla, Núñez de Balboa, 38.
Delicias: Batalla del Salado, 5.
Santo Domingo: Cuesta de Santo Domingo, 9.
Ventas: Avda. de los Toreros, s/n.
Pacífico: Juan de Urbieta, 37.
Norte: Raimundo Fernández Villaverde, 41.
Velázquez: Antonio Pérez, 4.
Latina: Costanilla de San Pedro, 10.

CENTROS OFICIALES
CENTRES OFFICIELS
OFFICIAL CENTRES
BEHÖRDEN

Ayuntamiento
Hôtel de Ville
Town hall
Rathaus

(Casa Consistorial). Plaza de la Villa.

Tenencias de Alcaldía
Lieutenances de mairie
Borough Council Offices
Bezirksrathäuser

ARGANZUELA-VILLAVERDE. R. Curtidores, 2.
BUENAVISTA. Velázquez, 52.
CARABANCHEL. Pl. Carabanchel, 1.
CENTRO. Pl. Mayor, 3.
CHAMARTIN. Avda. Alfonso XIII.
CHAMBERI. Alberto Aguilera, 20.
LATINA. Carr. San Francisco, 10.
RETIRO - MEDIODIA. P.º Prado, 30.
TETUAN. Bravo Murillo, 357.
UNIVERSIDAD. Alberto Aguilera, 20.
VALLECAS. Avda. Albufera, 34.
VENTAS. Bocángel, 2.
DIPUTACION PROVINCIAL. Velázquez, 89.

Ministerios-Ministères
Ministries-Ministerien

AGRICULTURA. P.º Infanta Isabel, 1.
D. GRAL. MONTES. Princesa, 22.
AIRE. Pl. Moncloa.
D. GRAL. TEC. AERONAUTICA. Serrano, 43.
D. GRAL. AVIACION CIVIL. Pl. Moncloa.
D. GRAL. AEROPUERTOS. P.º Moret, 1.
D. GRAL. ANTIAERONAUTICA. Barquillo, 17.
D. GRAL. PROT. VUELO. Orfila, 9.
ASUNTOS EXTERIORES. Pl. Provincia, 1.
D. GRAL. REL. CULTURALES. Pl. Sta. Cruz, 1.
COMERCIO. P.º Castellana, 14.
D. GRAL. COOPERACION ECONOMICA. Goya, 5.
EDUCACION NACIONAL. Alcalá, 34-36.
EJERCITO. Alcalá, 51.
D. GRAL. GUARDIA CIVIL. Guzmán el Bueno, 122.
D. GRAL. DE MUTILADOS. Velázquez, 99.
GOBERNACION. Amador de los Ríos, 7.
D. GRAL. ADMON. LOCAL. Amador de los Ríos, 7.
D. GRAL. CORREOS Y TELEGRAFOS. Pl. Cibeles.
D. GRAL. BENEFICENCIA. Amador de los Ríos, 7.
D. GRAL. SANIDAD. Pl. España, 17.
HACIENDA. Alcalá, 11.

D. GRAL. BANCA Y BOLSA. Serrano, 69.
D. GRAL. CONTRIB. RENTA. Génova, 29.
D. GRAL. DEUDA Y CL. PASIVAS. Atocha, 15.
D. GRAL. MONEDA Y TIMBRE. Pl. Colón, 4.
D. GRAL. SEGUROS Y AHORRO. Serrano, 69.
D. GRAL. DEL TIMBRE. Barquillo, 5.
INDUSTRIA. Serrano, 35.
INFORMACION Y TURISMO. Avda. Generalisimo, 39.
D. GRAL. TURISMO. Duque Medinaceli, 2.
D. GRAL. RADIODIF. TELEV. Avda. Generalisimo, 39.
JUSTICIA. San Bernardo, 45-47.
MARINA. Montalbán, 2.
OBRAS PUBLICAS. Avda. Generalisimo.
TRABAJO. Agustin Bethancourt, 4.
VIVIENDA. Agustin Bethancourt, 2.
D. GRAL. ARQUITECTURA. Pl. San Juan de la Cruz.
D. GRAL. DE SEGURIDAD. Puerta del Sol.

TELEFONOS DE URGENCIA
TELEPHONES D'URGENCE
EMERGENCY TELEPHONE NUMBERS
NOTRUFE

AEROPUERTO—DE BARAJAS. Telf. 222 11 65.
AMBULANCIAS CRUZ ROJA. Telf. 223 99 30 y 223 05 14.
AMBULANCIAS CRUZ ROJA POLACA. Telf. 276 05 37.
AMBULANCIAS MUNICIPALES. Telf. 227 20 21 y 239 87 10.
AMBULANCIAS SERVICIO DE URGENCIA DE LA SEGURIDAD SOCIAL. Telf. 209 16 40 y 209 18 40.
AMBULATORIO DEL S. O. E. Telf. 233 06 70.
BOMBEROS. Telf. 232 32 32 y 231 62 83.
BUTANO (averias). Telf. 276 23 17 y 276 23 18.
CASA DE SOCORRO Y CENTRO MATERNAL DE URGENCIA. Telf. 256 02 00 y 256 42 27.
CENTRO QUIRURGICO DE URGENCIA. Telf. 225 60 95 y 226 11 53.
COMPAÑIA ELECTRA (averias). Telf. 221 29 21.
COMPAÑIA DE GAS (averias). Telf. 232 28 00.
DIRECCION GENERAL DE TURISMO. Telf. 222 28 30.
DOCUMENTO NACIONAL DE IDENTIDAD. Telf. 223 95 40.
FARMACIAS DE GUARDIA. Telf. 098.
FERROCARRILES FRANCESES. Telf. 247 20 20.
GRUA MUNICIPAL. Telf. 247 46 35.
GUARDIA CIVIL. Telf. 233 34 00 y 234 02 00.
GUARDIA URBANA (Cuerpo de guardia). Telf. 248 45 20.
HOSPITAL BENEFICENCIA DEL ESTADO. Telf. 276 70 00 y 276 71 00.

HOSPITAL CENTRAL DE LA CRUZ ROJA. Telf. 233 39 00 y 233 44 39.
INFORMACION GENERAL. Telf. 098.
JEFATURA DE POLICIA (urgencias). Telf. 091.
JEFATURA SUPERIOR DE POLICIA. Telf. 221 91 86.
JUZGADO DE GUARDIA. Telf. 231 41 78.
JUZGADOS MUNICIPALES. Telf. 232 06 06.
MATERNIDAD. Telf. 273 16 00.
CRUZ BLANCA. Telf. 231 35 12.
URGMEDIC. Telf. 222 22 22.
URGENCIA MEDICA. Telf. 261 61 99.
URGENCIAS SANITARIAS. Telf. 253 49 00.
NOTICIAS. Telf. 095.
OBJETOS PERDIDOS (Ayuntamiento). Telf. 223 73 21.
PATRULLAS AUXILIO ACCIDENTES TRAFICO. Telf. 233 53 00.
POLICIA MUNICIPAL (Tráfico). Telf. 223 73 21.
PRACTICANTES (permanente). Telf. 222 30 30.
R.E.N.F.E. (Información). Telf. 247 84 00.
SERVICIO DE URGENCIA MEDICA. Telf. 092.
SERVICIO DE URGENCIA SEGURIDAD SOCIAL. Telf. 209 18 40.
TAXIS. Telf. 254 28 00.
TELE-RUTA. (Información del estado de los puertos y de la nieve). Telf. 254 50 05.
TELEGRAMAS POR TELEFONO. Telf. 221 10 17.
TRANVIAS. (accidentes). Telf. 225 61 61.
UNION ELECTRICA MADRILEÑA (avisos). Telf. 270 52 16.

AGENCIAS DE VIAJES
AGENCES DE VOYAGE
TRAVEL AGENCIES
REISEGESELLSCHAFTEN

AIRA, S. A. General Pardiñas, 120. Telf. 221 36 10 y 226 55 90.
AGENCIA GENERAL DE LAS COMPAÑIAS HAMBURGUESAS. Alcalá, 39. Telf. 221 12 67 y 232 16 34.
ALHAMBRA. Avda. Menéndez Pelayo, 2. Telf. 276 25 04.
AMERICAN EXPRESS COMPANY OF SPAIN. Plaza de las Cortes, 2. Telf. 222 11 80.
ATLAS EXPRESO (sucursal). Serrano, 45. Telf. 276 56 86-7.
AUTOTRANSPORTE TURISTICO ESPAÑOL, S. A. (A.T.E.S.A.). Avda. José Antonio, 59. Telf. 247 73 00, 248 64 07 y 247 02 02.
BAQUERA, KUSCHE Y MARTIN, S. A. VIAJES BAKUMAR. Paseo de la Castellana, 8. Telf. 276 76 04.
CLUB DE VIAJES, S. A. Paseo de Moret, 9. Telf. 244 56 00 y 244 56 34.
COMPAÑIA HISPANOAMERICANA DE TURISMO (sucursal). Edificio España. Tel: 248 60 05.

COMPAÑÍA INTERNACIONAL DE COCHES CAMAS. WAGONS-LITS/COOK. Marqués de Urquijo, 28. Telf. 248 58 17. Sucursales: Alcalá, 23. Telf. 231 64 20; Hotel Palace. Telf. 221 08 50; Avda. Calvo Sotelo, 14. Telf. 225 21 14; General Sanjurjo, 10. Telf. 257 58 17; Preciados, 28 y 30.

CONSIGNACIONES Y REPRESENTACIONES AÉREAS, S. A. (CYRASA). Avda. de José Antonio, 32. Telf. 231 57 00.

EURTRAVEL, S. A. Puerta del Sol, 14. Telf. 232 30 96.

IBEROTOURS. Plaza Conde del Valle de Suchil, 10. Telf. 223 95 66.

I.C.A.B.S.A. Avda. José Antonio, 55. Telf. 247 99 28.

MAC ANDREWS TOURS, S. A. Marqués de Casa Riera, 4. Telf. 221 64 13.

PRODESPAÑA, S. A. Floridablanca, 3. Telf. 222 28 77.

ULTRAMAR EXPRÉS, S. L. (sucursal). San Bernardo, 5 y 7. Telf. 247 19 00.

VIA PACIS, S. A. Alfonso XI, 4. Telf. 221 10 19.

VIAJES AYMAR, S. A. (sucursal). Ruiz de Alarcón, 27. Telf. 227 84 86.

VIAJES BAIXAS, S. A. (sucursal). Princesa, 14. Telf. 248 37 51.

VIAJES BIRD, S. L. Plaza de España, 9. Telf. 241 48 07.

VIAJES CAFRANGA, S. A. Carrera de San Jerónimo, 33. Telf. 231 01 01.

VIAJES CANTABRIA, S. A. (sucursal). Puerta del Sol, 10. Telf. 222 29 65.

VIAJES CONDE. Avda José Antonio, 60. Telf. 247 18 04.

VIAJES ECUADOR, S. L. (sucursal). Carrera de San Jerónimo, 19. Telf. 221 46 03.

VIAJES ELCANO, S. A. Calle Mayor, 5. Telf. 231 49 03.

VIAJES ESPAÑA MUNDIAL, S. A. Edificio España. Telf. 247 97 38.

VIAJES EXTRA, S. A. Juan de Austria, 7. Telf. 223 70 45.

VIAJES FERNANDO POO, S. A. (sucursal). General Pardiñas, 16. Telf. 226 49 68.

VIAJES HARO, S. A. Plaza de Vázquez Mella, 11. Telf. 232 21 83.

VIAJES HISPANIA (sucursal). Villanueva, 2. Telf. 225 92 83.

VIAJES IBERIA, S. A. (sucursal). Avda. José Antonio, 74. Telf. 247 59 04.

VIAJES INTERNACIONAL EXPRESO, S. A. (sucursal). Avda José Antonio, 55. Telf. 248 84 03.

VIAJES INTERNACIONAL PRISMA. Velázquez, 86. Telf. 226 56 73.

VIAJES INTEROPA. Alcalá, 167. Telf. 276 01 81.

VIAJES LANZANI (Oficina Administrativa). Edificio España. Telf. 248 76 24. Paseo de la Castellana, 2. Telf. 225 34 21. Sucursal: Torrejón de Ardoz (Madrid). Base Aérea Hispanoamericana.

VIAJES LINEMAR, S. A. (sucursal). General Pardiñas, 95.

VIAJES LÍDER, S. A. General Sanjurjo, 49. Telf. 253 87 55.

VIAJES LUGAR, S. A. Almagro, 20. Telf. 219 39 87.

VIAJES MARPI (sucursal). Bajos Plaza Canalejas. Galerías Sevilla. Local, 31.

VIAJES MARSANS, S. A. (sucursal). Carrera de San Jerónimo, 34. Telf. 231 18 00. Avda. de José Antonio, 60. Telf. 248 94 08.

VIAJES MARTHE, S. A. (sucursal). San Bernardo, 9. Telf. 247 58 50.

VIAJES MELIÁ, S. A. (Oficinas Administrativas). Paseo del Rey, 12. Plaza del Callaó, 3. Telf. 231 10 00. Goya, 23. Telf. 276 45 37. Paseo de las Delicias, 18. Hotel Carlton. Telf. 239 81 00. Hotel Plaza. Edificio España. Telf. 247 93 14. María de Molina, 1. Telf. 261 06 77. Paseo de la Florida, 31. Telf. 247 50 55.

VIAJES NADIR, S. A. Princesa, 7. Telf. 248 14 08.

VIAJES NORDA. Carrera de San Jerónimo, 31. Telf. 232 24 00.

VIAJES OFINAL, S. A. Edificio Torre de Madrid. Telf. 241 44 70.

VIAJES OLIMPIA. Hortaleza, 33. Telf. 232 01 51.

VIAJES ROMEA (sucursal). San Bernardo, 5 y 7. Telf. 248 11 34.

VIAJES, S. A. ESPAÑOLA PIER BUSSETI. Avda. de José Antonio, 47. Telf. 247 29 19. Paseo de Calvo Sotelo, 8. Telf. 276 50 25.

VIAJES SOL, S. A. Cea Bermúdez, 82. Telf. 243 08 02.

VIAJES SOLYMAR (sucursal). Velázquez, 20. Telf. 226 94 23.

VIAJES SOMMARIVA, S. A. Desengaño, 22. Telf. 232 44 23. Avda. de José Antonio, 34. Telf. 221 33 90.

VIAJES SPORT, S. A. Avda. de José Antonio, 70. Telf. 247 51 71.

VIAJES TABER, S. A. (sucursal). Ayala, 4. Telf. 225 26 96.

VIAJES TERRAMAR, S. L. Avda de José Antonio, 55. Telf. 247 29 53.

VIAJES UNIVERSAL, S. A. Alcalá Galiano, 3. Telf. 219 16 00.

VIAJES VALESA. Núñez de Balboa, 46. Telf. 226 86 32.

VIAJES VIKING, S. A. San Bernardo, 5 y 7. Telf. 247 02 83.

VIAJES VINCIT, S. A. (sucursal). Cedaceros, 8. Telf. 222 12 01.

VIAJES VITUSA. Edificio España. Telf. 247 76 46.

VIAJES WASTEELS, S. A. Estación del Norte.

COMUNICACIONES
COMMUNICATIONS
COMMUNICATIONS
VERKEHRSVERBINDUNGEN

Ferrocarriles—Chemins de fer
Railways—Eisenbahn

RED NACIONAL FERROCARRILES ESPAÑOLES (RENFE). .

CENTRAL DE INFORMACIÓN. Telf. 247 84 00
y 247 74 00.
OFICINA DE VIAJES Y DESPACHO DE BI-
LLETES. Alcalá, 44. Telf. 247 00 00.
DESPACHO AUXILIAR. Hermosilla, 27. Telf.
276 03 45. Para trenes de la estación de Delicias y cercanías.

Estaciones—Stations
Stations — Bahnhöfe

ATOCHA. Glorieta de Carlos V.
Líneas a Andalucía, Levante, Aragón, Cata-
luña, Francia (por Cerbère) y Toledo.
NORTE. Paseo de Onésimo Redondo.
Líneas a Galicia, Asturias, Santander, Vas-
congadas y Francia.
Trenes de cercanía a El Escorial y Ávila.
DELICIAS. Paseo de las Delicias.
Líneas a Extremadura, Portugal y Toledo.

Enlaces ferroviarios
Liaisons ferroviaires
Train connections—Bahnverbindungen

ATOCHA (apdo.) Glorieta del Emperador
Carlos V.
RECOLETOS (apdo.) Paseo de Calvo So-
telo.
NUEVOS MINISTERIOS. Avda. del Genera-
lísimo.
CHAMARTÍN. Plaza de Castilla.
Trenes de cercanías a Cercedilla y Segovia.

Autobuses—Autobus
Buses—Buslinien

MADRID-ALCALÁ DE HENARES: 31 km.
Empresa «Continental Auto». Alenza, 20.
Telf. 233 37 11. Servicio diario. Madrid,
salidas: 8-9-10-13-14-15-19-20-21-22. Alcalá, salidas: 6,45-8-9-10-13-14-15-15,30-
17-18-20. Precio: 16,50 ptas.
MADRID-ARANJUEZ: 47 km. Empresa «Autobuses Interurbanos», S. A. Paseo de las
Delicias, 18. Telf. 230 46 07. Días laborables.
Madrid, salidas: 8-9-13-17,30-19-20. Aranjuez, salidas: 7,45-14,30 y 18,45. Festivos.
Madrid, salidas: 9-13-21,45 y 22,30. Aranjuez, salidas: 8,30-14 y 19,30. Precio: 29
pesetas.
MADRID-ÁVILA: 113 km. Empresa «La Va-
lenciana». Toledo, 143. Telf. 265 72 02.
Diario, excepto domingos. Madrid, salidas:
13,45. Ávila, salidas: 10. Recorrido: 2,30
horas. Precio: 63 ptas.
MADRID-PARADOR NACIONAL DE GRE-
DOS-EL BARCO DE ÁVILA: 200 km. Empresa «González Hernández». Moratines, 26.
Telf. 227 94 12. Madrid, salidas: 8,30. Parador, llegada: 12,30. El Barco de Ávila,
salida: 13. Parador, llegada: 14,30. Recorrido:
5,30 horas. Precio: Parador de Gredos, 88,40
pesetas; El Barco de Ávila, 108,35 ptas.
MADRID-CERRO DE LOS ÁNGELES: 13 km
Empresa «Adeva». Drumen. 6. Telf

228 12 37. Viernes y domingos, salida de
Madrid, a las 9 y del Cerro, a las 12. Do-
mingos, salida de Madrid, a las 9 y 16
y del Cerro a las 12 y 19. Precio: 6,80 ptas.
MADRID-CUENCA: 165 km. Empresa «Auto-
Res». Plaza Conde Casal, 6. Telf. 251 72 00.
Días laborables. Madrid, salidas: 8 y 17,15
(verano, 18). Cuenca, salidas: 8 y 15.
Domingos y festivos. Madrid, salidas: 19.
Cuenca, salidas: 8. Recorrido, 4 horas.
Precio: 101 ptas.
MADRID-EL ESCORIAL-VALLE DE LOS CAÍ-
DOS (por Galapagar): Empresa «Herranz»,
S. A. Isaac Peral, 10. Telf. 243 36 45. Precios:
Madrid-El Escorial, 30 ptas. El Escorial-
Valles de los Caídos, 50 ptas (ida y vuelta).
Laborables. Madrid, salidas: 9,30 y 14,20.
El Escorial, salidas: 8 y 18,30. Festivos.
Madrid, salidas: 9,30-20,15 y 23,15. El Es-
corial, salidas: 8-9-22. El Escorial-Valle
de los Caídos, salida a las 15 y regreso a
las 17,30 .
MADRID-GUADALAJARA: 56 km. Empresa
«Continental Auto». Alenza, 20. Telf.
233 37 11. Diario. Madrid, salidas: 8 y 15.
Guadalajara, salidas: 10-11 y 14. Recorrido:
2 horas. Precio: 35 ptas.
MADRID-LA GRANJA: 77 km. (por el Puerto
de Navacerrada). Empresa «La Sepulveda-
na». Emilio Carrere,. 3. Telf. 223 40 29.
Días laborables: Madrid, salidas: 7,45 y 18.
La Granja, salidas: 8 y 19. Domingos y festivos. Madrid, salida: 7,30. La Granja, salida: 19. Recorrido: 2 horas, 30 minutos.
Precio, 43 ptas. En invierno, horario diferente.
MADRID-SEGOVIA: 95 km. Empresa «La Se-
pulvedana». Emilio Carrere, 3. Telf. 223 40 29.
Diario, excepto domingos. Madrid, salidas
8,13 y 20. Segovia, salidas: 9,30-11 y 16.
Recorrido: 2,30 horas. Precio: 60,10 ptas.
MADRID-TOLEDO: 70 km. Empresa «Continental Auto». Alenza, 20. Telf. 233 37 11
y Méndez Álvaro, 6. Telf. 227 29 61. Madrid, salidas de Alenza: 8,30 y 14,30.
Méndez Álvaro, salidas: 9 y 15. Toledo,
salidas: 17,30 y 18. Precio, 42 ptas.
MADRID-TOLEDO: 70 km. Empresa «Galiano». Drumen, 6. Telf. 227 62 17. Días laborables. Madrid, salidas: 12-18-19-20 y 21.
Toledo, salidas: 7-8-9-10,30 y 14,30. Domingos y festivos. Madrid, salidas: 10,30-
12-20-21 y 23. Toledo, salidas: 7-8-9-
10,30-14,30-20 y 23. Precio: 41,50 ptas
MADRID-VALLE DE LOS CAÍDOS: 55 km
Empresa «Larrea». Martín de los Heros, 4
Telf. 247 70 25. Diario. Madrid, salidas
9,30 y 15. Valle de los Caídos, salidas
13,30 y 19. Recorrido: 1 hora. Precio: 65 pesetas (ida y vuelta). En invierno. Madrid
salida: 9,30. Valle de los Caídos, salida
13,30

Líneas aéreas—Lignes aeriennes
Air lines—Luftfahrtgesellschaften

IBERIA. Plaza Cánovas del Castillo.
Telf. 221 82 30

AVIACO *(Aviación y Comercio)*. Alcalá, 42. Telf. 231 70 00. (1).

AIR INDIA. Princesa, 1. Telf. 241 44 68.

AIR SPAIN. *Compañía Española de vuelos «charter»*. Claudio Coello,16. Telf. 225 83 75. (2).

AIR FRANCE. Avda José Antonio, 57. Telf. 247 20 00.

LUFTHANSA (alemana). Avda José Antonio, 88. Telf. 247 38 00 (3).

B.E.A. (británica). Avda. José Antonio, 68. Telf. 247 53 00 (4).

B.O.A.C. (británica). Avda. José Antonio, 68. Telf. 247 53 00 (4).

ALITALIA. Torre de Madrid. Telf. 247 46 05.

B.U.A. (británica). Torre de Madrid. Telf. 248 75 44 y 248 20 65 (4).

K.L.M. (holandesa). Avda. José Antonio, 57. Telf. 247 81 00 (5).

T.A.P. (portuguesa). Avda. José Antonio, 58. Telf. 241 20 00 (6).

SWISS AIR (suiza). Edificio España Telf 247 92 07 (7)

SABENA (belga). Edificio España. Telf. 248 48 03 (8).

S.A.S. (escandinava). Avda. de José Antonio, 88. Telf. 247 17 00 (9).

AUSTRIAN AIR LINES. Torre de Madrid. Telf. 241 22 68.

AIR LINGUS (irlandesa). Iberia (10).

ROYAL AIR MAROC. Avda. José Antonio, 82. Telf. 248 13 77.

T.W.A. (norteamericana). Avda. José Antonio, 68. Telf. 247 42 00 (11).

PAN AM (norteamericana). Edificio España. Telf. 241 42 00 (11).

VIASA (venezolana). Avda. José Antonio, 59. Telf. 247 81 00 (12).

AEROLINEAS ARGENTINAS. Princesa, 14. Telf. 248 54 07.

AERONAVES DE MÉJICO. Edificio España. Telf. 247 58 00.

AVIANCA (colombiana). Edificio España. Telf. 241 42 00 (13).

CANADIAN PACIFIC. Edificio España. Telf. 248 84 25.

VARIG (brasileña). Avda. José Antonio, 88. Telf. 247 95 42 (14).

ETHIOPIAN AIRLINES. Torre de Madrid. Telf. 248 06 05.

SUDAFRICA. Avda. de José Antonio, 64. Telf. 248 70 82.

SPANTAX, S. A. Servicios y Transportes Aéreos Castellana, 30. Telf. 276 51 43 (15).

---

(1). *Aviation et Commerce.*—(2). *Compagnie espagnole de vols «charter».*— (3). *Allemande.*—(4). *Britannique.*—(5). *Hollandaise.*—(6). *Portugaise.*—(7). *Suisse.*—(8). *Belge.*—(9). *Scandinave.*—(10). *Irlandaise.*—(11) *Américaine.*—(12). *Vénézuélienne.*—(13). *Colombienne.*—(14). *Brésilienne.*—(15). *Services et Transports aériens*

(1). Aviation and Commerce.—2). Spanish charter flight company.—(3). German.—

Líneas marítimas — Lignes maritimes
Shipping lines — Schiffahrtsgesellschaften

AUCONA. Alcalá, 63. Telf. 225 17 35.

TRANSMEDITERRÁNEA. Zurbano, 73. Telf. 254 66 00.

TRANSATLÁNTICA. Paseo de Calvo Sotelo, 4. Telf. 275 98 00.

IBARRA. Avda de José Antonio, 8. Telf. 222 64 94.

AZNAR. Plaza de las Cortes, 7. Telf. 221 30 67.

NAVIERA PINILLOS. Moreto, 13. Telf. 230 77 94.

LÍNEAS MARÍTIMAS ITALIANAS. Alcalá, 54. Telf. 222 82 23.

CIE. GENERALE TRASATLANTIQUE. Avda. José Antonio, 60. Telf. 247 18 04.

CONSULICH-PACIFIC NAVEGATION-HOME LINES. Viajes Norda. Carrera de San Jerónimo, 31. Telf. 232 24 00.

AMERICAN EXPORT LINES. Calvo Sotelo, 31. Telf. 231 19 03.

COMPAÑÍA COLONIAL DE NAVEGACIÓN (portuguesa). Serrano, 30. Telf. 275 42 02.

CUNARD LINE. Viajes Marsans. Carrera de San Jerónimo, 34. Telf. 231 18 00.

BLAND LINE. Marqués de Casa Riera, 4. Telf. 221 27 53.

MALA REAL INGLESA. Plaza de las Cortes, 4. Telf. 222 46 45.

Servivicio de autobuses
Service d'autobus
Bus Services — Stadtautobuslinien

PROSPERIDAD - PASEO DE MORET (FERRAZ)

Ida: Origen en Plaza del Sagrado Corazón de Jesús, siguiendo por General Zabala, López de Hoyos, Cartagena, Ortega y Gasset, Plaza del Marqués de Salamanca, Ortega y Gasset, Serrano, Plaza de la Independencia, Alcalá, Plaza de la Cibeles, Alcalá, Avenida de José Antonio, Plaza de España, José Cañizares, Ferraz y Paseo de Moret.

Vuelta: Paseo Pintor Rosales, Ferraz, Ventura Rodriguez, Princesa, Plaza de España, Avenida de José Antonio, Plaza del Callao, Avenida de José Antonio, Alcalá, Plaza de la Cibeles, Alcalá, Plaza de la Independencia, Serrano, Ortega y Gasset, Plaza del Marqués

(4). British.—(5). Dutch.—(6). Portuguese.—(7). Swiss.—(8). Belgian.—(9). Scandinavian.—(10). Irish.—(11). American.—(12). Venezuelan.—(13). Colombian.—(14). Brazilian.—(15). Air Services and Transport.

(1). *Linien und Handelsgesellschaft.*—(2). *Spanische Gesellschaft für Charterflüge.*—(3). *Deutsch.*—(4). *Britisch.*—(5). *Holländisch.*—(6). *Portugiesisch.*—(7). *Schweizer.*—(8). *Belgisch.*—(9). *Skandinavisch.*—(10). *Irländisch.*—(11). *Vereinigte Staaten.*—(12). *Venezolanisch.*—(13). *Kolumbianisch.*—(14) *Brasilianisch.* (15) *Transport .*

de Salamanca, Ortega y Gasset, Cartagena, Gómez Ortega, Gabriel Lobo y Sagrado Corazón de Jesús.

PROSPERIDAD — PLAZA DE CRISTO REY
Ida: Origen en Plaza del Sagrado Corazón de Jesús, siguiendo por General Zabala, López de Hoyos, Cartagena, Ortega y Gasset, Plaza del Marqués de Salamanca, Ortega y Gasset, Serrano, Plaza de la Independencia, Alcalá, Plaza de la Cibeles, Alcalá, Avenida de José Antonio, Plaza del Callao, Avenida de José Antonio, Plaza de España, Princesa, Hilarión Eslava, Joaquín M.ª López e Isaac Peral.
Vuelta: Isaac Peral, Joaquín M.ª López, Arcipreste de Hita (Moncloa), Meléndez Valdés, Princesa, Plaza de España, Avenida de José Antonio, Plaza del Callao, Avenida de José Antonio, Alcalá, Plaza de la Cibeles, Alcalá, Plaza de la Independencia, Serrano, Ortega y Gasset, Plaza del Marqués de Salamanca, Ortega y Gasset, Cartagena, Gómez Ortega, Gabriel Lobo y Plaza del Sagrado Corazón de Jesús.

REINA VICTORIA — PLAZA DE ROMA (O'DONNELL)
Ida: Origen en Avenida de la Reina Victoria, siguiendo por General Ibáñez Ibero, San Francisco de Sales, Guzmán el Bueno, Serrano Jover, Princesa, Plaza de España, Avenida de José Antonio, Callao, Avenida de José Antonio, Alcalá, Plaza de la Cibeles, Alcalá, Plaza de la Independencia, Alcalá, O'Donnell, Doctor Esquerdo y Plaza de Roma.
Vuelta: Plaza de Roma, Doctor Esquerdo, O'Donnell, Alcalá, Plaza de la Independencia, Alcalá, Plaza de la Cibeles, Alcalá, Avenida de José Antonio, Callao, Avenida de José Antonio, Plaza de España, Princesa, Mártires de Alcalá, Blasco de Garay, Cea Bermúdez, Andrés Mellado, Paseo de San Francisco de Sales y Avenida de la Reina Victoria.

REINA VICTORIA — DOCTOR ESQUERDO
Ida y vuelta: Origen en Avenida de la Reina Victoria, siguiendo por General Ibáñez Ibero, Paseo de San Francisco de Sales, Guzmán el Bueno, Serrano Jover, Princesa, Plaza de España, Avenida de José Antonio, Alcalá, Plaza de la Cibeles, Alcalá, Plaza de la Independencia, Alcalá, O'Donnell, Avenida de Menéndez Pelayo, Ibiza y Doctor Esquerdo.

CUATRO CAMINOS — PUERTA DE TOLEDO
Ida: Origen en Maudes, siguiendo por García Morato, Plaza del Pintor Sorolla, García Morato, Plaza de Chamberi, García Morato, Plaza de Alonso Martínez, Plaza de Santa Bárbara, San Mateo, Fuencarral, Red de San Luis, Montera, Puerta del Sol, Carretas, Plaza de Benavente, Concepción Jerónima, Conde de Romanones, Plaza de Tirso de Molina, Colegiata, Toledo y Puerta de Toledo.
Vuelta: Puerta de Toledo, Toledo, San Millán, Duque de Alba, Plaza de Tirso de Molina, Doctor Cortezo, Plaza de Benavente, Atocha, Plaza de la Provincia, Esparteros, Mayor, Puerta del Sol, Carrera de San Jerónimo, Plaza de Canalejas, Carrera de San Jerónimo, Cedaceros, Alcalá, Virgen de los Peligros, Caballero de Gracia, Montera, José Antonio, Hortaleza, Plaza de Santa Bárbara, Plaza de

Alonso Martínez, García Morato, Glorieta de Chamberi, García Morato, Plaza del Pintor Sorolla, García Morato, María de Guzmán Maudes y Bravo Murillo.

CUATRO CAMINOS-SAN FRANCISCO
Ida: Origen en Maudes, siguiendo por Bravo Murillo, María de Guzmán, Bravo Murillo, Glorieta de Quevedo, Fuencarral, Glorieta de Bilbao, Fuencarral, José Antonio, Montera, Puerta del Sol, Arenal, Vergara, Requena, Bailén, Gran Vía San Francisco y Puerta de Toledo.
Vuelta: Puerta de Toledo, Gran Vía San Francisco, Bailén, Mayor, Puerta del Sol, Carrera de San Jerónimo, Plaza de Canalejas, Carrera de San Jerónimo, Cedaceros, Alcalá, Peligros, Caballero de Gracia, Montera, José Antonio, Hortaleza, Mejía Lequerica, Barceló, Fuencarral, Glorieta de Quevedo, Eloy Gonzalo, General Álvarez de Castro, General Sanjurjo y García Morato-Maudes.

CARRERA DE SAN JERÓNIMO-RAIMUNDO FERNÁNDEZ VILLAVERDE
Ida: Origen en Carrera de San Jerónimo (esquina a Cedaceros), siguiendo por Cedaceros, Alcalá, Plaza de la Cibeles, Avenida de Calvo Sotelo, Plaza de Colón, Paseo de la Castellana, Plaza de Emilio Castelar, General Martínez Campos, Alonso Cano y Raimundo Fernández Villaverde.
Vuelta: Raimundo Fernández Villaverde, Modesto Lafuente, General Martínez Campos, Paseo de la Castellana, Plaza de Emilio Castelar, Paseo de la Castellana, Plaza de Colón, Avenida de Calvo Sotelo, Plaza de la Cibeles, Paseo del Prado y Carrera de San Jerónimo (esquina a Cedaceros).

BENAVENTE-MARCELO USERA (ALMENDRALES)
Ida: Origen en Plaza de Benavente, siguiendo por Concepción Jerónima, Conde de Romanones, Plaza de Tirso de Molina, Magdalena, Plaza de Antón Martín, Atocha, Glorieta del Emperador Carlos V, Paseo de Santa María de la Cabeza, Plaza del Capitán Cortés, Paseo de Santa María de la Cabeza, Condesa de Pardo Bazán, Paseo de la Chopera, Vado de Santa Catalina, Pasaje de Andalucía y Marcelo Usera.
Vuelta: Marcelo Usera, Pasaje de Andalucía, Vado de Santa Catalina, Paseo de la Chopera, Condesa de Pardo Bazán, Paseo de Santa María de la Cabeza, Plaza del Capitán Cortés, Paseo de Santa María de la Cabeza, Glorieta del Emperador Carlos V, Atocha, Plaza de Antón Martín, Atocha y Plaza de Benavente.

RED DE SAN LUIS-PLAZA DE LA REPÚBLICA DE EL ECUADOR
Ida: Origen en Red de San Luis, siguiendo por Hortaleza, Plaza de Santa Bárbara, Plaza de Alonso Martínez, Almagro, Plaza de Rubén Darío, Miguel Ángel, Paseo de la Castellana, Avenida del Generalísimo, Joaquín Costa, Plaza de la República Argentina, Serrano, Plaza de la República de El Salvador, Serrano y Plaza de la República de El Ecuador.
Vuelta: Plaza de la República de El Ecuador, Serrano, Plaza de la República de El Salva-

dor, Serrano, Plaza de la República Argentina, Joaquín Costa, Avenida del Generalísimo, Paseo de la Castellana, Miguel Ángel, Plaza de Rubén Darío, Almagro, Plaza de Alonso Martínez, Plaza de Santa Bárbara, San Mateo, Fuencarral y Red de San Luis.

CEDACEROS-AVENIDA DEL MEDITERRÁNEO

Ida: Origen en Alcalá, siguiendo por Plaza de la Cibeles, Paseo del Prado, Plaza de Cánovas del Castillo, Paseo del Prado, Glorieta del Emperador Carlos V, Paseo de la Infanta Isabel, Paseo de la Reina María Cristina, Plaza de Mariano de Cavia, Avenida del Mediterráneo con final a la altura de Moratalaz.

Vuelta: Avenida del Mediterráneo (Moratalaz), Plaza Mariano de Cavia, Paseo de la Reina María Cristina, Paseo de la Infanta Isabel, Glorieta del Emperador Carlos V, Paseo del Prado, Plaza de Cánovas del Castillo, Carrera de San Jerónimo, Cedaceros y Alcalá.

CARRERA DE SAN JERÓNIMO-ARTURO SORIA (CIUDAD LINEAL)

Ida: Origen en Carrera de San Jerónimo (esquina a Cedaceros), siguiendo por Cedaceros, Alcalá, Plaza de la Cibeles, Plaza de la Independencia, Alcalá, Velázquez, Plaza de Carlos María de Castro, López de Hoyos, Glorieta de Ruiz de Alda, López de Hoyos, esquina a Arturo Soria (Ciudad Lineal).

Vuelta: López de Hoyos (esquina a Arturo Soria), Glorieta de Ruiz de Alda, López de Hoyos, Plaza de Carlos María de Castro, Velázquez, Alcalá, Plaza de la Independencia, Plaza de la Cibeles, Paseo del Prado y Carrera de San Jerónimo (esquina a Cedaceros).

PLAZA DE LA CIBELES-ALTO PALOMERAS (PUENTE VALLECAS)

Ida y vuelta: Origen en Plaza de la Cibeles, siguiendo por Paseo del Prado, Plaza de Cánovas del Castillo, Paseo del Prado, Glorieta del Emperador Carlos V, Paseo de la Infanta Isabel, Paseo de la Reina María Cristina, Plaza de Mariano de Cavia, Cabanilles, Doctor Esquerdo, Avenida de la Ciudad de Barcelona, Avenida de la Albufera, Monte Igueldo, Martínez de la Riva, Arroyo del Olivar, Puerto Cardoso, y Alto Palomeras.

PUERTA DEL SOL-DOCTOR ESQUERDO

Ida: Origen en Puerta del Sol, siguiendo por Carrera de San Jerónimo, Plaza de Canalejas, Carrera de San Jerónimo, Plaza de las Cortes, Plaza de Cánovas del Castillo, Felipe IV, Alfonso XII, Plaza de la Independencia, Alcalá, Avenida de Felipe II, Narváez, Alcalde Sáinz de Baranda y Doctor Esquerdo.

Vuelta: Doctor Esquerdo, Alcalde Sáinz de Baranda, Narváez, Avenida de Felipe II, Alcalá, Plaza de la Independencia, Alfonso XII, Felipe IV, Plaza de Cánovas del Castillo, Paseo del Prado, Plaza de la Cibeles, Alcalá y Puerta del Sol.

PLAZA DE ROMA-CIUDAD UNIVERSITARIA

Ida: Origen en Plaza de Roma, siguiendo por Francisco Silvela, María de Molina, Castellana, Ríos Rosas, Islas Filipinas, Cea Bermúdez, Plaza de Cristo Rey, Avda. de los Reyes Católicos, Avda. del Arco de la Victoria, y Plaza del Cardenal Cisneros (Ciudad Universitaria).

Vuelta: Plaza del Cardenal Cisneros (Ciudad Universitaria), avenida del Arco de la Victoria, Avenida de los Reyes Católicos, Plaza de Cristo Rey, Cea Bermúdez, General Sanjurjo, María de Molina, Francisco Silvela y Plaza de Roma.

PLAZA DE LA CIBELES-CHAMARTÍN

Ida y vuelta: Origen en Plaza de la Cibeles, siguiendo por Avenida de Calvo Sotelo, Paseo de Colón, Paseo de la Castellana, Plaza de Emilio Castelar, Paseo de la Castellana, Avenida del Generalísimo, Paseo de la Habana, Dolores Sánchez Carrascosa y Plaza del Duque de Pastrana.

PLAZA DE SANTO DOMINGO-PLAZA DE SAN AMARO

Ida y vuelta: Origen en Santo Domingo, siguiendo por San Bernardo, Joaquín García Morato, Glorieta Cuatro Caminos, Bravo Murillo, Ávila, Plaza de San Amaro.

MONCLOA-CHAMARTÍN

Ida: Origen en Fernando el Católico (esquina a Arcipreste de Hita), siguiendo por Arcipreste de Hita, Isaac Peral, Fernández de los Ríos, Bravo Murillo, Glorieta de Quevedo, Eloy Gonzalo, Plaza del Pintor Sorolla, General Martínez Campos, Plaza de Emilio Castelar, General Oráa, Serrano, Plaza de la República Argentina, Avenida del Doctor Arce, General Mola, Plaza de la República de El Ecuador, General Mola, Plaza de la República Dominicana, General Mola, Plaza del Perú y Avenida de Pío XII.

Vuelta: Avenida de Pío XII (Chamartín), Plaza del Perú, General Mola, Plaza de la República Dominicana, General Mola, Avenida del Doctor Arce, Plaza de la República Argentina, Serrano, López de Hoyos, Paseo de la Castellana, Plaza de Emilio Castelar, General Martínez Campos, Plaza del Pintor Sorolla, Eloy Gonzalo, Glorieta de Quevedo, Arapiles, Magallanes y Fernando el Católico (esquina a Arcipreste de Hita).

PLAZA MAYOR-CAÑO ROTO

Ida: Origen en Plaza Mayor, siguiendo por Toledo, Puerta de Toledo, Toledo, Glorieta de las Pirámides, Puente de Toledo, Plaza del Marqués de Vadillo, Avenida de Manzanares y Camino de las Ánimas (Caño Roto).

Vuelta: Camino de las Ánimas (Caño Roto), Avenida de Manzanares, Plaza del Marqués de Vadillo, Puente de Toledo, Glorieta de las Pirámides, Toledo, Puerta de Toledo, Toledo, Imperial, Plaza de la Provincia, Gerona y Plaza Mayor.

PLAZA DE ROMA-GLORIETA PRESIDENTE GARCÍA MORENO

Ida y vuelta: Origen en Plaza de Roma, siguiendo por Francisco Silvela, Glorieta de Ruiz de Alda, Joaquín Costa, Plaza de la República Argentina, Joaquín Costa, Raimundo Fernández Villaverde, Glorieta de Cuatro Caminos, Avenida de la Reina Victoria y Glorieta del Presidente García Moreno.

VELÁZQUEZ-LEGAZPI

Ida: Origen en Velázquez (confluencia con la Avenida Dr. Arce), Plaza Carlos María de Castro, Velázquez, Alcalá, Plaza de la Independencia, Alfonso XII, Avenida Infanta Isabel, Glorieta del Emperador Carlos V, Paseo

Santa Maria de la Cabeza, Batalla del Salado, Embajadores, Plaza Beata Maria Ana de Jesús, Paseo Delicias y Plaza Legazpi.
Vuelta: Legazpi, Plaza de Luca de Tena, Paseo de las Delicias, Glorieta del Emperador Carlos V, Paseo Infanta Isabel, Alfonso XII, Plaza de la Independencia, Alcalá y Velázquez (confluencia con la Avda. del Doctor Arce).

PUERTA DEL SOL-BARRIO LA ESTRELLA
Ida: Origen en Puerta del Sol, siguiendo por Carrera de San Jerónimo, Plaza de Canalejas, Carrera de San Jerónimo, Cedaceros, Alcalá, Plaza de la Cibeles, Alcalá, Plaza de la Independencia, Alcalá, O'Donnell, Menéndez Pelayo, Glorieta del Niño Jesús, Avenida de Nazaret, Doctor Esquerdo y Barrio La Estrella.
Vuelta: Barrio La Estrella, Doctor Esquerdo, Avenida de Nazaret, Glorieta del Niño Jesús, Menéndez Pelayo, O'Donnell, Alcalá y Puerta del Sol.

BARRIO DE LA CONCEPCIÓN-PINTOR ROSALES
Ida y vuelta: Origen en Concepción, siguiendo por Avenida Donostiarra, Ventas, Avenida de los Toreros, Campanar, Doctor Gómez Ulla, Plaza de Roma, Alcalá, Goya, Plaza de Colón, Génova, Sagasta, Carranza, Alberto Aguilera, Marqués de Urquijo y Pintor Rosales.

LEGAZPI-VILLAVERDE
Ida y vuelta: Origen en Legazpi, siguiendo por Vado de Santa Catalina, Puente de Andalucía, Antonio López, Carretera de Andalucía, Alcocer, Colonia de los Toreros, Real de Pinto y Alberto Palacios (Villaverde).

PLAZA MAYOR-CAROLINAS
Ida y vuelta: Origen en Puerta Cerrada, siguiendo por Toledo, Puente Toledo, Antonio López y Colonia Carolinas.

ATOCHA-ENTREVÍAS
Ida y vuelta: Origen en Glorieta Carlos V (Atocha), siguiendo por Paseo Infanta Isabel, Avenida Ciudad de Barcelona, Monte Igueldo, Martínez de la Riva, Carlos Martín Álvarez, Martell, Mejorana y Conde Rodríguez San Pedro hasta Calero Pita.

DOCE DE OCTUBRE-ROSALES
Ida: Origen en Doce de Octubre, siguiendo por Fernan González, Alcalde Sáinz de Baranda, Narváez, Felipe II, Fernán González, Goya, Plaza de Colón, Génova, Plaza de Alonso Martínez, Sagasta, Glorieta de Bilbao, Carranza, Glorieta de Ruiz Jiménez, Alberto Aguilera, Plaza del Gran Capitán, Alberto Aguilera, Marqués de Urquijo y Paseo Pintor Rosales.
Vuelta: Paseo del Pintor Rosales, Marqués de Urquijo, Alberto Aguilera, Plaza del Gran Capitán, Alberto Aguilera, Glorieta de Ruiz Jiménez, Carranza, Glorieta de Bilbao, Sagasta, Plaza de Alonso Martínez, Génova, Plaza de Colón, Goya, Narváez y Doce de Octubre.

TIRSO DE MOLINA-DIEGO DE LEÓN
Ida: Origen en Plaza Tirso de Molina, siguiendo por Magdalena, Antón Martín, Atocha, Glorieta del Emperador Carlos V, Paseo de la Infanta Maria Isabel, Paseo de la Reina Cristina, Plaza de Mariano de Cavia, Menéndez Pelayo, Alcalde Sáinz de Baranda, Narváez, Conde

Peñalver y Diego de León (esquina a Conde de Peñalver).
Vuelta: Diego de León (esquina a Conde de Peñalver), Francisco Silvela, Alcántara, Juan Bravo, Conde de Peñalver, Narváez, Alcalde Sáinz de Baranda, Menéndez Pelayo, Plaza de Mariano de Cavia, Paseo de la Reina Cristina, Paseo de la Infanta María Isabel, Glorieta del Emperador Carlos V (Atocha), Plaza de Benavente, Conde Romanones y Plaza de Tirso de Molina.

EMBAJADORES-PLAZA DE CASTILLA
Ida y vuelta: Origen en Glorieta de Embajadores, siguiendo por Ronda de Valencia, General Primo de Rivera, Glorieta del Emperador Carlos V, Paseo del Prado, Plaza de Cánovas del Castillo, Paseo del Prado, Plaza de la Cibeles, Avenida de Calvo Sotelo, Plaza de Colón, Paseo de la Castellana, Plaza de Emilio Castelar, Paseo de la Castellana, Avenida del Generalísimo y Plaza de Castilla.

CIBELES-EMILIO FERRARI
Ida y vuelta: Origen en Plaza de la Independencia, siguiendo por Alcalá, O'Donnell, Doctor Esquerdo, Vicálvaro, Santa Prisca, Lago Constanza, Vital Aza, Emilio Ferrari y Ascao.

AVENIDA FELIPE II-POBLADO DE MANOTERAS
Ida y vuelta: Origen en Avenida Felipe II, siguiendo por Alcalá, General Mola, Francisco Silvela, Joaquín Costa, Velázquez, Avenida del Doctor Arce, General Mola, Plaza del Perú, Avenida de Pío XII, Comandante Franco, Cuesta del Sagrado Corazón, Arturo Soria, Avenida de San Luis y Poblado de Manoteras.

AVENIDA FELIPE II-MORATALAZ
Ida y vuelta: Origen en Avenida de Felipe II, siguiendo por Goya, Doctor Esquerdo, La Estrella, Avenida de Moratalaz y Barrio de Moratalaz.

PLAZA MAYOR-ALTO DE EXTREMADURA
Ida: Origen en Plaza Mayor, siguiendo por Toledo, Latoneros, Puerta Cerrada, Segovia, Puente de Segovia, Plaza del Puente de Segovia, Paseo Extremadura (confluencia con Avenida de Portugal).
Vuelta: Paseo de Extremadura (confluencia con la Avenida de Portugal), Plaza del Puente de Segovia, Puente de Segovia, Segovia, Puerta Cerrada, Tintoreros, Toledo, Imperial, Plaza de la Provincia, Gerona y Plaza Mayor.

PLAZA MAYOR-BARRIO IMPERIAL
Ida: Origen en Plaza Mayor, siguiendo por Toledo, Latoneros, Puerta Cerrada, Segovia, Paseo Alto de la Virgen del Puerto y Uralita.
Vuelta: Uralita, Paseo Alto de la Virgen del Puerto, Segovia, Puerta Cerrada, Tintoreros, Toledo y Plaza Mayor.

ATOCHA-MORATALAZ
Ida y vuelta: Origen en Atocha, siguiendo por Paseo de la Reina Cristina, Plaza de Mariano de Cavia, Avenida de Menéndez Pelayo, Avenida de Nazaret, Estrella, Avenida de Moratalaz y Barrio de Moratalaz.

PUERTA DE TOLEDO-GLORIETA ELÍPTICA
Ida: Origen en Puerta de Toledo, siguiendo por Gran Vía de San Francisco, Plaza de San Francisco, Bailén, Plaza de España, Ferraz, Ven

tura Rodríguez, Princesa, Hilarión Eslava, Plaza de Cristo Rey, Isaac Peral, Límite y Glorieta Elíptica.
Vuelta: Glorieta Elíptica, Límite, Isaac Peral, Plaza de Cristo Rey, Isaac Peral, Arcipreste de Hita, Meléndez Valdés, Princesa, Luisa Fernanda, Ferraz, Plaza de España, Bailén, Plaza de San Francisco, Avenida Reyes Católicos y Puerta de Toledo.

ATOCHA-CARABANCHEL
Ida y vuelta: Origen en Glorieta Emperador Carlos V, siguiendo por Paseo General Primo de Rivera, Ronda de Valencia, Paseo de las Acacias, Glorieta de las Pirámides, Puente Toledo, Plaza Marqués Vadillo, General Ricardos, Muñoz Grandes, Nuestra Señora de Fátima, Eugenia de Montijo, Plaza Emperatriz y General Franco (Carabanchel).

PLAZA MAYOR-CARABANCHEL
Ida y vuelta: Origen en Toledo, siguiendo por Glorieta de las Pirámides, General Ricardos y Eugenia de Montijo (Carabanchel).

ATOCHA-CAMPAMENTO
Ida y vuelta: Origen en Glorieta de Carlos V (Atocha), siguiendo por General Primo de Rivera, Ronda de Valencia, Glorieta de Embajadores, Paseo de las Acacias, Glorieta Pirámides, Paseo Imperial, Ronda de Segovia, Segovia, Puerta del Ángel, Paseo de Extremadura, Alto de Extremadura y Campamento.

CUATRO CAMINOS-PUENTE DE VALLECAS
Ida: Origen en Glorieta de Cuatro Caminos, siguiendo por Bravo Murillo, Glorieta Quevedo, Eloy Gonzalo, Trafalgar, Plaza de Olavide, Trafalgar, Francisco Rojas, Mejía Lequerica, Fernando VI, Plaza Santa Bárbara, Bárbara de Braganza, Avenida de Calvo Sotelo, Plaza de la Cibeles, Paseo del Prado, Plaza de Cánovas del Castillo, Paseo del Prado, Glorieta Emperador Carlos V, Avenida Ciudad de Barcelona, Antonia Calas y Melquiades Biencinto (Puente de Vallecas).
Vuelta: Melquiades Biencinto (Puente de Vallecas), Antonia Calas, Avenida de la Ciudad de Barcelona, Glorieta Emperador Carlos V, Paseo del Prado, Plaza de Cánovas del Castillo, Paseo del Prado, Plaza de la Cibeles, Avenida Calvo Sotelo, Bárbara de Braganza, Plaza de Santa Bárbara, Vernando VI, Mejía Lequerica, Francisco Rojas, Trafalgar, Eloy Gonzalo, Joaquín García Morato y Cuatro Caminos.

PLAZA DE ROMA-GRAN SAN BLAS
Ida y vuelta: Origen en Plaza de Roma, siguiendo por Alcalá, Avenida de Aragón, Hermanos García Noblejas y Gran San Blas.

PL. ISABEL II-SAN IGNACIO DE LOYOLA
Ida y vuelta: Origen en Plaza Isabel II, siguiendo por Plaza de Oriente, Bailén, Plaza de España, Onésimo Redondo, Puente del Rey, Avenida Marqués de Monistrol, Paseo de Extremadura, Carretera de Cuatro Vientos y Colonia San Ignacio de Loyola.

BARCELÓ-SANTAMARCA
Ida: Origen en Barceló, siguiendo por Fuencarral, Glorieta Bilbao, Luchana, Glorieta Chamberí, García Morato, Pintor Sorolla, General Martínez Campos, Glorieta de Emilio Castelar, General Oráa, Hermanos Bécquer, Diego de

León, Velázquez, López de Hoyos, Glorieta Julio Ruiz de Alda, López de Hoyos, Alfonso XIII y Polígono Santamarca.
Vuelta: Polígono Santamarca, Alfonso XIII, López de Hoyos, Glorieta Julio Ruiz de Alda, Velázquez, Diego de León, Hermanos Bécquer, General Oráa, Emilio Castelar, General Martínez Campos, Plaza Pintor Sorolla, Juan de Austria, Luchana, Glorieta Bilbao, Sagasta, Mejía Lequerica y Barceló.

ATOCHA-BOMBILLA
Ida y vuelta: Origen en Avenida General Primo de Rivera, siguiendo por Ronda de Valencia, Embajadores, Ronda de Toledo, Puerta de Toledo, Ronda de Segovia, Segovia, Paseo Alto Virgen del Puerto, Paseo de la Florida y Avenida Valladolid (Bombilla).

ATOCHA-COLONIA DEL MANZANARES
Ida y vuelta: Origen en Avenida General Primo de Rivera, siguiendo por Ronda de Valencia, Embajadores, Ronda de Toledo, Puerta de Toledo, Ronda de Segovia, Segovia, Paseo Alto Virgen del Puerto, Paseo de la Florida, Puerta de la Reina Victoria, Comandante Fortea, Colonia San Antonio y Colonia Manzanares.

CUATRO CAMINOS-BARRIO DEL PILAR
Ida y vuelta: Origen en Cuatro Caminos, siguiendo por Bravo Murillo, Plaza de Castilla, Avenida Generalísimo, Melchor Fernández Almagro y Barrio del Pilar.

PRESIDENTE GARCÍA MORENO-LEGAZPI
Ida y vuelta: Origen en Avenida Reina Victoria (Gaztambide), siguiendo por Bravo Murillo, Cristóbal Bordiú, Agustín de Bethancourt, San Juan de la Cruz, Zurbano, General Sanjurjo, Plaza Doctor Marañón, Paseo de la Castellana, Plaza de Colón, Avenida Calvo Sotelo, Plaza de la Cibeles, Paseo del Prado, Glorieta Emperador Carlos V, Paseo Santa María de la Cabeza, Batalla del Salado, Embajadores, Beata María Ana de Jesús, Paseo Delicias y Legazpi.

ATOCHA-USERA (PLAZA ELÍPTICA)
Ida: Origen en Tortosa, siguiendo por Méndez Álvaro, General Lacy, Ancora, Palos de Moguer, Batalla del Salado, Embajadores, Beata María Ana de Jesús, Paseo de las Delicias, Plaza Legazpi, Vado Santa Catalina, Puente de Andalucía, Marcelo Usera y Plaza Elíptica.
Vuelta: Plaza Elíptica, Marcelo Usera, Puente de Andalucía, Vado de Santa Catalina, Plaza Legazpi, Paseo de las Delicias, Beata María Ana de Jesús, donde sigue por Delicias hasta Tortosa (Glorieta Carlos V).

PUEBLO NUEVO-SAN BLAS
Ida y vuelta: Origen en Pueblo Nuevo, siguiendo por Hermanos García Noblejas hasta San Blas.

PLAZA CASTILLA-POBLADO DE HORTALEZA (U.V.A.)
Ida y vuelta: Origen en Plaza de Castilla, siguiendo por Mateo Inurria, Caídos de la División Azul, Cuesta del Sagrado Corazón, Arturo Soria, Eladio López Vilches, Mesena, Avenida de San Luis, López de Hoyos y Mar de las Antillas hasta Abizanda (Poblado de Hortaleza, U.V.A.).

PUERTA DEL SOL-PLAZA DEL PERU
Ida: Origen en Puerta del Sol, siguiendo por
Carrera de San Jerónimo, Plaza de Canalejas,
Carrera de San Jerónimo, Cedaceros, Alcalá,
Plaza de la Cibeles, Alcalá, Plaza de la Inde-
pendencia, Serrano, Plaza de la República
Argentina, Serrano, Plaza de la República de
El Salvador, Serrano, Plaza de la República
de El Ecuador, Prolongación General Mola,
Plaza de la República Dominicana, General
Mola (prolongación) y Plaza del Perú.
Vuelta: Plaza del Perú, General Mola (prolon-
gación), Plaza de la República Dominicana,
General Mola (prolongación), Plaza de la
República de El Ecuador, Serrano, Plaza de
la República de El Salvador, Serrano, Plaza
de la República Argentina, Serrano, Plaza de
la Independencia, Alcalá, Plaza de la Cibeles,
Alcalá y Puerta del Sol.

PUERTA DEL SOL-PLAZA DEL PERU
Ida y vuelta: Origen en Puerta del Sol, siguiendo por Carrera de San Jerónimo, Cedaceros,
Alcalá, Plaza de la Cibeles, Alcalá, Plaza de
la Independencia, Alcalá, General Mola, Plaza
del Marqués de Salamanca, General Mola,
Joaquín Costa, Velázquez, Doctor Arce, General Mola (prolongación) y Plaza del Perú

PALACIO-PARQUE DE LAS AVENIDAS
Ida y vuelta: Origen en Palacio, siguiendo por
Puerta del Sol, Plaza de la Cibeles, Alcalá,
Plaza de la Independencia, Serrano, José
Ortega y Gasset, Plaza del Marqués de Sala-
manca, José, Ortega y Gasset, Francisco Sil-
vela, Cartagena, Avenida de los Toreros,
Francisco Altamiras, Avenida de Bruselas y
Parque de las Avenidas.

ATOCHA-VALLECAS.
Ida y vuelta: Origen en Glorieta de Atocha,
siguiendo por Avenida Ciudad de Barcelona,
Avenida de la Albufera hasta la Plaza de Vallecas.

ATOCHA-CARABANCHEL
Ida: Origen en Glorieta del Emperador Car-
los V, siguiendo por Paseo de las Delicias,
Murcia, Paseo de Santa María de la Cabeza,
Plaza del Capitán Cortés, Paseo de Santa
María de la Cabeza, Plaza de la Condesa de
Pardo Bazán, Puente de los Héroes del Al-
cázar de Toledo, Paseo de Santa María de la
Cabeza, Plaza de Fernández Ladreda, Avenida
de Oporto, General Ricardos, Avenida Plaza
de Toros y Plaza de Toros de Vista Alegre
(Carabanchel).
Vuelta: Plaza de Toros de Vista Alegre (Cara-
banchel), Avenida de la Plaza de Toros, Ge-
neral Ricardos, Avenida de Oporto, Plaza de
Fernández Ladreda, Paseo de Santa María
de la Cabeza, Plaza de Fernández Ladreda,
Avenida Toledo, Plaza de la Condesa de
Pardo Bazán, Paseo de Santa María de la
Cabeza, Plaza del Capitán Cortés, Paseo de
Santa María de la Cabeza y Glorieta del Em-
perador Carlos V.

DIEGO DE LEÓN-PEÑA PRIETA
Ida y vuelta: Origen en Diego de León, siguiendo por Francisco Silvela, Plaza de Roma,

Doctor Esquerdo, Avenida de la Ciudad de
Barcelona y Peña Prieta

TIRSO DE MOLINA-AVENIDA DE SAN DIEGO
Ida y vuelta: Origen en Plaza de Tirso de Molina, siguiendo por Magdalena, Atocha, Plaza
del Emperador Carlos V, Avda. de la Ciudad
de Barcelona, Avda. de la Albufera, Sierra de
Cadi, Carlos Martín Álvarez, Martínez de la
Riva y Sierra Nevada-Avenida de San Diego

PEÑA PRIETA-BARRIO VILANO
Ida y vuelta: Origen en Avenida Ciudad de
Barcelona-Arroyo Abroñigal, siguiendo por
Avenida Ciudad de Barcelona, Avenida de la
Albufera, Sierra Gador, Avenida de los Caídos
y Camino Congosto hasta Peña Vargas (Barrio
Vilano)

PEÑA PRIETA-UNIDAD VECINAL
Ida y vuelta: Origen en Avenida Ciudad de
Barcelona-Arroyo Abroñigal, siguiendo por
Avenida Ciudad de Barcelona, Avenida de la
Albufera Sierra Gador y Real de Arganda
hasta la entrada del Poblado de Absorción
de Vallecas.

NARVÁEZ-MONCLOA
Ida: Origen en Lope de Rueda, siguiendo por
Sáinz de Baranda, Narváez, Conde de Peñalver, Diego de León, Hermanos Bécquer,
General Oráa, Plaza de Emilio Castelar, General Martínez Campos, Plaza del Pintor So-
rolla, Eloy Gonzalo, Glorieta de Quevedo,
Arapiles, Magallanes, Fernando el Católico
(esquina a Arcipreste de Hita).
Vuelta: Fernando el Católico (esquina a Ar-
cipreste de Hita) (Moncloa), Arcipreste de
Hita, Meléndez Valdés, Hilarión Eslava, Fer-
nández de los Ríos, Bravo Murillo, Glorieta
de Quevedo, Eloy Gonzalo, Plaza del Pintor
Sorolla, General Martínez Campos, Plaza de
Emilio Castelar, General Oráa, Hermanos Bécquer, Diego de León, Conde de Peñalver
Narváez, Ibiza y Lope de Rueda

MONCLOA-PARANINFO
Ida: Origen en Arcipreste de Hita (Moncloa),
siguiendo por Meléndez Valdés, Hilarión Es-
lava, Fernández de los Ríos, Avenida del
Arco de la Victoria, Glorieta del Cardenal Cis-
neros y Avenida Complutense (Paraninfo).
Vuelta: Avenida Complutense (Paraninfo),
Glorieta del Cardenal Cisneros, Avenida del
Arco de la Victoria y Arcipreste de Hita (Mon-
cloa).

MONCLOA-CIUDAD UNIVERSITARIA
Ida y vuelta: Origen en Moncloa, siguiendo
por Arco de la Victoria, Avenida Complutense
y Ciudad Universitaria, pasando por las siguien-
tes Facultades: Navales, Agrónomas, Medicina,
Químicas, Telecomunicación y Derecho.

CUATRO CAMINOS-CIUDAD UNIVERSITARIA
Ida y vuelta: Avenida Reina Victoria, Ciudad
Universitaria.

MONCLOA-CIUDAD UNIVERSITARIA
Ida y vuelta: Origen en Moncloa, siguiendo por
Arco de la Victoria, Avenida Complutense y
Ciudad Universitaria, pasando por las siguien-
tes Facultades: Navales Agrónomos, Medicina
Filosofía y Económicas.

SERVICIO DE MICROBUSES
SERVICE DE MICROBUS
MINI-BUS SERVICE
MICROBUSLINIEN

VENTAS-ÓPERA
Ventas, Plaza de Roma, Alcalá, Plaza de la Independencia, Cibeles, José Antonio, Callao, Puerta del Sol, Ópera, Mayor y regreso por Puerta del Sol.

DIEGO DE LEÓN-SOL
Diego de León, Juan Bravo, Serrano, Independencia, Cibeles, José Antonio, Callao, Galdo y regreso.

PLAZA DE CUZCO-SANTO DOMINGO
Por el andén central de la Avenida del Generalísimo, desde Plaza de Cuzco, Nuevos Ministerios, San Juan de la Cruz, Miguel Ángel, Eduardo Dato, Bilbao, Carranza, San Bernardo, Santo Domingo y regreso.

PLAZA DE COLÓN-LEGAZPI
Legazpi, Delicias, Atocha, Neptuno, Cibeles, Colón y regreso.

CUATRO CAMINOS-CALLAO
Cuatro Caminos, Reina Victoria, Paseo San Francisco de Sales, Plaza de Cristo Rey, Joaquín María López, Hilarión Eslava, Princesa, Plaza de España, José Antonio, Callao.

PLAZA CASTILLA-ATOCHA
Desde Plaza Castilla, Plaza de Cuzco, Generalísimo, Nuevos Ministerios, Castellana, Colón, Cibeles, Atocha y regreso.

PLAZA PERÚ-ATOCHA
Desde Plaza de Perú, Plaza de Cuzco, Generalísimo, Nuevos Ministerios, Castellana, Colón, Cibeles, Atocha y regreso.

PARQUE SAN JUAN BAUTISTA-PARQUE DE LAS AVENIDAS-SAN BERNARDO
Parque de San Juan Bautista, Parque de las Avenidas, Cartagena, Francisco Silvela, Manuel Becerra, Goya, Serrano, Colón, Almagro, Carranza, San Bernardo, Vallehermoso, Arapiles y regreso.

BARRIO DE LA CONCEPCIÓN-ROSALES
Plaza de Jesús Banús, ampliación del Barrio de la Concepción, Alcalá, Plaza de Roma, Francisco Silvela, Ortega y Gasset, Serrano, Marqués del Riscal, Almagro, Alonso Martínez, Sagasta, Carranza, San Bernardo, Princesa, Marqués de Urquijo a Rosales.

MORATALAZ-PLAZA DE BENAVENTE
Moratalaz, Plaza del Corregidor Alonso de Aguilar, Barrio Estrella, Barrio del Niño Jesús, Avenida de Nazaret, Menéndez Pelayo, Mariano de Cavia, María Cristina, Atocha, Antón Martín, Plaza de Benavente, Concepción Jerónima, Tirso de Molina, Magdalena y regreso.

GENERAL PERÓN-MAYOR
General Perón, Orense, General Yagüe, Bravo Murillo, Cuatro Caminos, Quevedo, San Bernardo, Santo Domingo, Ópera y regreso.

FERROCARRILES METROPOLITANOS
CHEMINS DE FER METROPOLITAINS
UNDERGROUND NETWORK
UNTERGRUNDBAHNEN

LÍNEA I. Plaza Castilla-Portazgo.
Plaza Castilla, Valdeacederas, Tetuán, Estrecho,
Alvarado, Cuatro Caminos (correspondencia con la Línea II), Ríos Rosas, Iglesias, Bilbao (correspondencia con la Línea IV), Tribunal, José Antonio, Sol (correspondencia con las Líneas II y III), Tirso de Molina, Antón Martín, Atocha, Menéndez Pelayo, Pacífico, Vallecas. Nueva Numancia, Portazgo.

LÍNEA II. Ciudad Lineal-Cuatro Caminos-Ópera-Norte.
Ciudad Lineal, Pueblo Nuevo, Quintana, Carmen, Ventas, Manuel Becerra, Goya (correspondencia con la Línea IV), General Mola, Retiro, Banco, Sevilla, Sol (correspondencia con las líneas I y III), Ópera (ramal a Norte) (correspondencia con la Línea V), Santo Domingo, Noviciado, San Bernardo (correspondencia con la línea IV), Quevedo, Cuatro Caminos (correspondencia con la Línea I).

LÍNEA III. Moncloa-Legazpi.
Moncloa, Argüelles (correspondencia con la línea IV), Ventura Rodríguez, Plaza España (correspondencia con el Suburbano de Carabanchel), Callao (correspondencia con la línea V), Sol (correspondencia con las líneas I y II), Lavapiés, Embajadores (correspondencia con la Línea V), Palos de Moguer, Delicias, Legazpi.

LÍNEA IV. Argüelles-Diego de León.
Argüelles (correspondencia con la línea III), San Bernardo (correspondencia con la Línea II), Bilbao (correspondencia con la Línea I), Alonso Martínez, Colón, Serrano, Velázquez, Goya (correspondencia con la Línea II), Lista, Diego de León.

LÍNEA V. Callao-Carabanchel.
Callao (correspondencia con la Línea III), Ópera (correspondencia con la Línea II), Latina, Puerta de Toledo, Acacias, Pirámides, Marqués de Vadillo, Urgel, Oporto, Vistalegre, Carabanchel (correspondencia con el Suburbano de Carabanchel).

CARRETERAS DEL ESTADO QUE PARTEN DE MADRID

A ÁVILA: Salida por el Paseo de Extremadura o por la Avenida de Portugal, para enlazar con la carretera de Portugal, hasta Alcorcón, desde donde parte otra carretera que pasa por Villaviciosa de Odón, Brunete, Chapinería, Navas del Rey, Pelayos, San Martín de Valdeiglesias y Ávila, o bien por la carretera de La Coruña hasta Villacastín y desde allí hasta Ávila.

A CÁDIZ: Salida por la calle Antonio López, hacia Pinto, Valdemoro, Aranjuez, Ocaña, Córdoba y Cádiz.

A VALENCIA Y A CASTELLÓN DE LA PLANA: Salida por la Avenida del Mediterráneo (autopista), o bien por la Avenida Ciudad de Barcelona y Avenida de la Albufera, para seguir por Vallecas, Vaciamadrid, Arganda, Perales de Tajuña, Villarejo de Salvanés, Fuentidueña del Tajo, Tarancón, Valencia y Castellón de La Plana.

A CIUDAD REAL: Salida por la calle Antonio López para enlazar con la carretera de Andalucía hasta Ocaña, para seguir por Madridejos, Puerto Lápice, de donde parte la carretera que va hasta Ciudad Real, o bien por la carretera de Toledo, hasta Toledo, donde sale la carretera que va a Sonseca, Orgaz, Malagón y Ciudad Real.

A COLMENAR VIEJO: Salida por Plaza Castilla, Avenida del Generalísimo, y seguir por la carretera de Irún hasta el kilómetro 11, desde donde parte otra carretera que llega hasta Colmenar Viejo.

A FRANCIA POR IRÚN: Salida de la Plaza de Castilla y Avenida del Generalísimo, hacia Fuencarral o Chamartín, para seguir por San Agustín, El Molar, Venturada, Cabanillas de la Sierra, La Cabrera, Lozoyuela, Buitrago, Somosierra, Boceguillas, Aranda de Duero, Burgos, Vitoria, San Sebastián, Irún y Francia.

A LA CORUÑA: Salida por la Avenida de Puerta de Hierro y carretera de La Coruña, para seguir por El Plantío, Las Rozas, Torrelodones, Guadarrama, Villacastín, Adanero, Arévalo, Medina del Campo, Benavente, Lugo y La Coruña.

A FRANCIA POR LA JUNQUERA: Salida por la Avenida de América o por la carretera de Aragón, hacia Alcalá de Henares, Guadalajara, Zaragoza, Lérida, Barcelona, Gerona, La Junquera y Francia.

A MORALEJA DE ENMEDIO: Salida por la calle del General Ricardos y por Carabanchel Bajo a Carabanchel Alto, Leganés, Fuenlabrada y Moraleja de Enmedio.

A PORTUGAL, POR EXTREMADURA: Salida por el Paseo de Extremadura o por la Avenida de Portugal, hasta enlazar con la carretera de Extremadura, para seguir por Alcorcón, Móstoles, Navalcarnero, Talavera, Trujillo, Mérida, Badajoz y Portugal.

A SAN LORENZO DE EL ESCORIAL: Salida por la Avenida de Puerta de Hierro o por la carretera de La Coruña, hasta Las Rozas, desde donde parte otra carretera que va a Galapagar, El Escorial de Abajo y San Lorenzo de El Escorial.

A SEGOVIA: Salida por la Avenida de Puerta de Hierro y carretera de La Coruña, hasta Las Rozas, desde donde parte otra carretera que va por Collado Mediano, Navacerrada, Puerto de Navacerrada y Segovia, o bien desde el pueblo de Guadarrama, Túnel Alto Los Leones, hasta San Rafael y desde allí por la carretera de Segovia.

A TOLEDO: Salida por la calle de Antonio Leyva o Paseo de Santa María de la Cabeza, con dirección a Getafe, para seguir por Parla, Torrejón de la Calzada, Illescas y Toledo.

A TORRELAGUNA: Salida por la Plaza de Castilla, para seguir por la Avenida del Generalísimo, para enlazar con la carretera de Irún, hasta El Molar, desde donde parte otra carretera que va por El Vellón hasta Torrelaguna.

ROUTES NATIONALES QUI PARTENT DE MADRID

VERS AVILA: Par le Paseo de Extremadura ou par l'Avenida de Portugal, pour rejoindre la route de Portugal jusqu'à Alcorcón, d'où part une autre route qui passe par Villaviciosa de Odón, Brunete, Chapinería, Navas del

Rey, Pelayos, San Martín de Valdeiglesias et Avila, ou bien par la route de La Coruña jusqu'à Villacastín et de là, jusqu'à Avila.

VERS CADIX: Sortie par la rue Antonio López vers Pinto, Valdemoro, Aranjuez, Ocaña, Cordoue et Cadix.

VERS VALENCE ET CASTELLON DE LA PLANA: Sortie par l'Avenida del Mediterráneo (autoroute) ou par l'Avenida Ciudad de Barcelona et Avenida de la Albufera, pour continuer par Vallecas, Vaciamadrid, Arganda, Perales de Tajuña, Villarejo de Salvanés, Fuentidueña del Tajo, Tarancón, Valence et Castellón de la Plana.

VERS CIUDAD REAL: Sortie par la rue Antonio López, pour rejoindre la route d'Andalousie jusqu'à Ocaña, pour continuer par Madridejos, Puerto Lapice, d'où part la route qui va jusqu'à Ciudad Real ou bien par la route de Tolède, jusqu'à Tolède, d'où part la route qui va à Sonseca, Orgaz, Malagón et Ciudad Real.

VERS COLMENAR VIEJO: Sortie par Plaza de Castilla, Avenida del Generalísimo, et continuer par la route d'Irun jusqu'au kilomètre 11, d'où part une autre route qui arrive à Colmenar Viejo.

VERS LA FRANCE PAR IRUN: Départ de la Plaza de Castilla et Avenida del Generalísimo, vers Fuencarral ou Chamartín, pour continuer par San Agustín, El Molar, Venturada, Cabanillas de la Sierra, La Cabrera, Lozoyuela, Buitrago, Somosierra, Boceguilas, Aranda de Duero, Burgos, Vitoria, St. Sébastien, Irun et France.

VERS LA COROGNE: Sortie par l'Avenida de Puerta de Hierro et carretera de La Coruña, pour continuer par El Plantío, Las Rozas, Torrelodones, Guadarrama, Villacastín, Adanero, Arévalo, Medina del Campo, Benavente, Lugo et La Corogne.

VERS LA FRANCE, PAR LA JUNQUERA: Départ par l'Avenida de America ou par la route d'Aragon, vers Alcalá de Henares, Guadalajara, Saragosse, Lérida, Barcelone, Gérone, La Junquera et France.

VERS MORALEJA DE ENMEDIO: Sortie par la rue General Ricardos et par Carabanchel Bajo vers Carabanchel Alto, Leganés, Fuenlabrada et Moraleja de Enmedio.

VERS LE PORTUGAL, PAR L'EXTREMADURE: Départ par le Paseo d'Extremadura ou par l'Avenida de Portugal jusqu'à la jonction avec la carretera de Extremadura pour continuer par Alcorcón, Móstoles, Navalcarnero, Talavera, Trujillo, Mérida, Badajoz et Portugal.

VERS SAN LORENZO DE EL ESCORIAL: Sortie par l'Avenida de Puerta de Hierro ou par la carretera de La Coruña, jusqu'à Las Rozas d'où part une autre route qui va à Galapagar, El Escorial de Abajo et San Lorenzo de El Escorial.

VERS SEGOVIE: Sortie par l'Avenida de Puerta de Hierro et carretera de La Coruña jusqu'à Las Rozas, d'où part une autre route qui va par Collado Mediano, Navacerrada, Puerto de Navacerrada et Ségovie, ou bien du village de Guadarrama, Túnel Alto de Los Leones, jusqu'à San Rafael et de là par la route de Ségovie.

VERS TOLEDE: Sortie par la rue de Antonio Leyva ou Paseo de Santa María de la Cabeza, en direction de Getafe pour continuer par Parla, Torrejón de la Calzada, Illescas et Tolède.

VERS TORRELAGUNA: Sortie par la Plaza de Castilla, pour continuer par l'Avenida del Generalísimo pour rejoindre la route d'Irun jusqu'à El Molar d'où part une autre route qui va par El Vellon jusqu'à Torrelaguna.

NATIONAL
HIGHWAYS OUT OF MADRID

TO AVILA: Exit via Paseo de Extremadura or via Avenida de Portugal, for connecting up with the Portugal Road, as far as Alcorcón, where there is a turning off on to another road to Villaviciosa de Odón, Brunete, Chapinería, Navas del Rey, Pelayos, San Martín de Valdeiglesias and Ávila, or via the Coruña road as far as Villacastín and from there to Ávila.

TO CÁDIZ: Exit via calle Antonio López, towards Pinto, Valdemoro, Aranjuez, Ocaña, Córdoba and Cádiz.

TO VALENCIA AND CASTELLÓN DE LA PLANA: Exit via Avenida del Mediterráneo (Motorway) or via Avenida Ciudad de Barcelona and Avenida de la Albufera, to continue on through Vallecas, Vaciamadrid, Arganda, Perales de Tajuña, Villarejo de Salvanés, Fuentidueña del Tajo, Tarancón, Valencia and Castellón de la Plana.

TO CIUDAD REAL: Exit via calle Antonio López for connecting up with the Andalucía road as far as Ocaña, to continue on through Madridejos, Puerto Lapice, where the road branches off to Ciudad Real, or via the Toledo road, as far as Toledo, where the road branches of to Sonseca, Orgaz, Malagón and Ciudad Real.

TO COLMENAR VIEJO: Exit via Plaza Castilla, Avenida del Generalísimo and continue on Irún road as far as km. 11, where road branches off to Colmenar Viejo.

TO FRANCE VIA IRÚN: Exit via Plaza de Castilla and Avenida del Generalísimo to Fuencarral or Chamartín, to continue on through San Agustín, El Molar, Venturada, Cabanilla de la Sierra, La Cabrera, Lozoyuela, Buitrago, Somosierra, Boceguilas, Aranda de Duero, Burgos, Vitoria, San Sebastián, Irún and France.

TO LA CORUÑA: Exit via Avenida Puerta de Hierro and La Coruña, to continue on through El Plantío, Las Rozas, Torrelodones, Guadarrama, Villacastín, Adanero, Arévalo, Medina del Campo, Benavente, Lugo and La Coruña.

TO FRANCE VIA LA JUNQUERA: Exit via Avenida de América or via Aragón road, to Alcalá de Henares, Guadalajara, Zaragoza, Lérida, Barcelona, Gerona, La Junquera and France.

TO MORALEJA DE ENMEDIO: Exit via calle de General Ricardos and through Carabanchel Bajo to Carabanchel Alto, Leganés, Fuenlabrada and Moraleja de Enmedio.

TO PORTUGAL VIA EXTREMADURA: Exit via Paseo de Extremadura or via Avenida de Portugal until connection with Extremadura road, to continue on through Alcorcón, Móstoles, Navalcarnero, Talavera, Trujillo, Mérida, Badajoz and Portugal.

TO SAN LORENZO DE EL ESCORIAL: Exit via Avenida de Puerta de Hierro or via La Coruña road, to Las Rozas, where another road branches off to Galapagar, El Escorial de Abajo and San Lorenzo de El Escorial.

TO SEGOVIA: Exit via Avenida Puerta de Hierro and La Coruña road, to Las Rozas, where road branches off to Collado Mediano, Navacerrada and Segovia, or from the village of Guadarrama, Túnel Alto Los Leones (Mountain Tunnel) to San Rafael and from there via the Segovia road.

TO TOLEDO: Exit via calle de Antonio López or Paseo de Santa María de la Cabeza, towards Getafe to continue on through Parla, Torrejón de la Calzada, Illescas and Toledo.

TO TORRELAGUNA. Exit via Plaza de Castilla to continue on via Avenida del Generalísimo, to connect up with Irún road to El Molar, where road branches off to El Vellón and Torrelaguna.

VON MADRID
ABGEHENDE NATIONALSTRASSEN

NACH ÁVILA: Ausfahrt über Paseo de Extremadura oder Avenida de Portugal zur Nationalstrasse nach Portugal. Man fährt bis Alcorcón. Hier geht eine Strasse ab über Villaviciosa de Odón, Brunete, Chapinería, Navas del Rey, Pelayos, San Martín de Valdeiglesias nach Ávila. Man kann auch auf der Nationalstrasse nach La Coruña bis nach Villacastín fahren, um von dort aus nach Ávila zu kommen.

NACH CÁDIZ: Ausfahrt über calle Antonio López: Über Pinto, Valdemoro, Aranjuez, Ocaña, Córdoba nach Cádiz.

NACH VALENCIA und CASTELLÓN DE LA PLANA: Ausfahrt über Avenida del Mediterráneo (Autobahn) oder über Avenida Ciudad de Barcelona und Avenida del Mediterráneo. Man fährt weiter über Vallecas, Vaciamadrid, Arganda, Perales de Tajuña, Villarejo de Salvanés, Fuentidueña del Tajo, Tarancón nach Valencia und Castellón de la Plana.

NACH CIUDAD REAL: Ausfahrt über calle Antonio López zur Nationalstrasse nach Andalusien bis nach Ocaña. Von hier über Madridejos und Puerto Lapice zur Nationalstrasse, die nach Ciudad Real führt. Oder man fährt die Strasse Madrid-Toledo und weiter auf der Strasse über Sonseca, Orgaz, Malagón bis nach Ciudad Real.

NACH COLMENAR VIEJO: Ausfahrt über Plaza Castilla, Avenida del Generalísimo, weiter auf der Strasse nach Irún bis Km. 11, von wo eine Strasse nach Colmenar Viejo abzweigt.

NACH FRANKREICH ÜBER IRÚN: Ausfahrt über Plaza de Castilla und Avenida del Generalísimo nach Fuencarral oder Chamartín. Weiter über San Agustín, El Molar, Venturada Cabanillas de la Sierra, La Cabrera, Lozoyuela

Buitrago, Somosierra, Boceguillas, Aranda de Duero, Burgos, Vitoria, San Sebastián nach Irún und Frankreich.

NACH LA CORUÑA: Ausfahrt über Avenida de Puerta de Hierro und Nationalstrasse nach Coruña. Weiter über El Plantío, Las Rozas, Torrelodones, Guadarrama, Villacastín, Adanero, Arévalo, Medina del Campo, Benavente, Lugo nach La Coruña.

NACH FRANKREICH ÜBER LA JUNQUERA: Ausfahrt über Avenida de América oder auf der Nationalstrasse nach Aragón. Weiter nach Alcalá de Henares, Guadalajara, Zaragoza, Lérida, Barcelona, Gerona nach La Junquera und Frankreich.

NACH MORALEJA DE ENMEDIO: Ausfahrt über Calle General Ricardos. Weiter über Carabanchel Bajo nach Carabanchel Alto, Leganés, Fuenlabrada und Moraleja de Enmedio.

NACH PORTUGAL ÜBER EXTREMADURA: Ausfahrt über Paseo de Extremadura oder Avenida de Portugal bis zur Nationalstrasse nach Extremadura. Von hier aus weiter nach Alcorcón, Móstoles, Navalcarnero, Talavera, Trujillo, Mérida, Badajoz und Portugal.

NACH SAN LORENZO DE EL ESCORIAL: Ausfahrt über Avenida de Puerta de Hierro und Nationalstrasse nach La Coruña bis nach Las Rozas. Hier abzweigen nach Galapagar, El Escorial de Abajo und San Lorenzo de El Escorial.

NACH SEGOVIA: Ausfahrt über Avenida de Puerta de Hierro und Nationalstrasse nach La Coruña bis nach Las Rozas. Hier abzweigen nach Collado Mediano, Navacerrada, Navacerradapass und Segovia. Oder auch vom Dorf Guadarrama zum Túnel Alto Los Leones bis San Rafael fahren und von dort die Strasse nach Segovia nehmen.

NACH TOLEDO: Ausfahrt über calle Antonio Leyva oder Paseo de Santa María de la Cabeza in Richtung Getafe. Man fährt weiter über Parla, Torrejón de la Calzada, Illescas bis nach Toledo.

NACH TORRELAGUNA: Ausfahrt über Plaza de Castilla. Weiter über Avenida del Generalísimo bis zur Nationalstrasse nach Irún. Diese bis El Molar befahren, von wo die Strasse über El Vellón nach Torrelaguna führt.

APARCAMIENTOS DE COCHES
PARKINGS
CAR PARKS
PARKPLÄTZE

Pl. Marqués de Salamanca.
Montalbán.
Velázquez.
Fuencarral (Glorieta de Bilbao)
Arapiles.
Pl. de Canalejas-Alcalá.
Pl. de España.
Pl. Santa Ana.
Pl. Santo Domingo.
Pl. Mayor.
Pl. San Martín.
Maestro Guerrero, 6.

Pl. Mostenses.
Pl. del Rey.
Pl. Vázquez de Mella.
Tetuán, 4.

TALLERES DE REPARACIÓN DE AUTOMÓVILES
Agencias oficiales
ATELIERS DE REPARATION D'AUTOMOBILES
Agences officielles
CAR REPAIR GARAGES
Official agencies
AUTOREPARATURWERKSTÄTTEN
Offizielle Agenturen

RENAULT. Auto Recoletos. Gil de Santibáñez, 6. Telf. 225 46 20.

RENAULT. Reparación Vehículos, S. A. Galileo, 104. Telf. 253 34 00.

RENAULT. Garaje Guerra, S. A. Goya, 99 Telf. 225 74 67.

RENAULT. Servauto, S. A. Galileo, 23 y 26. Telf. 224 65 28.

RENAULT. M.A.V.I.L., S. A. Pasa, 10. Telf 222 29 54.

RENAULT. Servicios Unidos, S. A. Cervantes, 36. Telf. 239 45 20.

RENAULT. Servicios Unidos, S. A. Academia, 5 y 7. Telf. 230 44 90.

RENAULT. Servicios Unidos, S. A. Juan Bravo, 25. Telf. 276 91 75.

RENAULT. S. A. Talleres y Automóviles. Blanca de Navarra, 3. Telf. 219 39 96.

RENAULT. S. A. Talleres y Automóviles. Nicasio Gallego, 3. Telf. 224 25 07.

RENAULT. Auto Delicias, S. A. Paseo de las Delicias, 96. Telf. 227 97 70.

RENAULT. Auto Talleres Mediodía, S. A. Paseo Santa María de la Cabeza, 19. Telf. 227 14 77.

RENAULT. Autogar, S. A. Cea Bermúdez, 55. Telf. 244 50 05.

RENAULT. Auto Embajadores, S. A. Embajadores, 123. Telf. 230 32 01.

RENAULT. Auto Extremadura. Paseo Extremadura, 98. Telf. 248 26 47.

RENAULT. Auto Talleres Centro, S. A. Aduana, 19. Telf. 222 34 66.

RENAULT. C. Salamanca. Paseo Gral. Primo de Rivera, 16. Telf. 227 39 28.

RENAULT. Auto Extremadura, S. A. Paseo de Extremadura, 161.

RENAULT. C. Salamanca. Avda de Valladolid, 45. Telf. 247 57 07.

RENAULT. E. A., S. A. Carretera Alcobendas, km. 5,500. Telf. 209 04 40.

RENAULT. E. A., S. A. Doctor Esquerdo, 160. Telf. 252 18 85.

RENAULT. E. A. S. A. Alcalá, 182. Telf. 255 40 38.

RENAULT. Autotalleres Castellana. General Yagüe, 6. Telf. 253 14 07.

RENAULT. Autotalleres Castellana. Francos Rodríguez, 58.

RENAULT. Automoción Castilla. S. A. Serrano, 230. Telf. 259 14 07.
RENAULT. I.D.A.M.A. (I. Maroto). Jorge Juan, 120. Telf. 255 88 44.
RENAULT. C.O.V.A., S. A. Avda. Ciudad de Barcelona, 68.
CITROEN. D. Antonio Baigorri. Velázquez, 2. Victor de la Serna, 1. Telf. 275 65 43 y 259 23 06.
CITROEN. Comercial Citroma del Automóvil. Alberto Aguilera, 15. Telf. 247 38 02.
CITROEN. Comercial Citroma del Automóvil. Peñuelas, 12. Telf. 227 57 44.
CITROEN. Taller de Servicio de la Osa. Alenza, 7. Telf. 234 92 07.
CITROEN. Taller de Servicio de la Osa. Joaquín García Morato, 133.
CITROEN. J. J. Hachuel Moreno. General Sanjurjo, 40. Telf. 253 11 00.
CITROEN. J. J. Hachuel Moreno. Avda. Albufera, 46. Telf. 277 01 68.
CITROEN. J. J. Hachuel Moreno. Gral. Palanca, 7. Telf. 230 90 13.
CITROEN. Valcor, S. A. Blasco de Garay, 61. Telf. 243 90 27.
CITROEN. D. Alberto Romero Arana. Núñez de Balboa, 41. Telf. 226 92 81.
CITROEN. D. Manuel Romero González. Diego de León, 46. Telf. 276 04 76.
CITROEN. D. Manuel Romero González. Bravo Murillo, 184. Telf. 276 04 74.
CITROEN. D. Manuel Romero González. Profesor Waksman, 9. Telf. 259 94 04.
CITROEN. Motor España. Antonio López, 88. Telf. 269 78 06.
CITROEN. Gaztambide, 14. Telf. 243 18 62.
CITROEN. Goya, 115. Telf. 256 10 00.
BARREIROS, SIMCA, DODGE. El Motor Nacional, S. A. Carvajales, 1.
BARREIROS, SIMCA, DODGE. El Motor Nacional, S. A. P.º de Rosales, 24.
BARREIROS, SIMCA, DODGE. Sate. Gral. Mola, 57-59.
BARREIROS, SIMCA, DODGE. Seida. Espronceda, 36.
BARREIROS, SIMCA, DODGE. Simca Española, S. A. Ayala, 89.
BARREIROS, SIMCA, DODGE. Sada. Gral. Sanjurjo, 10.
BARREIROS, SIMCA, DODGE. Movisa. Gral. Mola, 26.
BARREIROS, SIMCA, DODGE. Siboni y Villanueva. Berlin, 2.
BARREIROS, SIMCA, DODGE. Atasa. Cartagena, 83.
BARREIROS, SIMCA, DODGE. Atasa. Avda. Toreros, 18.
BARREIROS, SIMCA, DODGE. Albisa. Doctor Castelo, 33.
BARREIROS, SIMCA, DODGE. Safesa. Ayala, 48.
BARREIROS, SIMCA, DODGE. Novauto, S. A. Gral. Mola, 207.
BARREIROS, SIMCA, DODGE. Ruymar, S. A. Blasco de Garay, 14.

BARREIROS, SIMCA, DODGE. Morrison Ibérica. San Bernardo, 97-99.
BARREIROS, SIMCA, DODGE. Barreiros Diesel, S. A. Ctra. Andalucía, km. 7.
SEAT. Luis Mitjans, 19. Telf. 251 48 00.
SEAT. Cea Bermúdez, 28. Telf. 253 39 05.
SEAT. Ferrocarril, 37. Telf. 227 38 25.
SEAT. Núñez de Balboa, 100. Telf. 276 54 05.
FIAT-HISPANIA. Avda. de La Habana, 98. Telf. 259 82 00.
DKW. Blasco de Garay, 65. Telf. 243 12 06.
DKW. Ciadasa. General Mola, 90. Telf. 225 79 43.
MERCEDES-BENZ. Don Ramón de la Cruz, 105. Telf. 255 80 00.
PEUGEOT. Hermosilla, 123. Telf. 256 30 12.
VOLKSWAGEN. Seida. Espronceda, 36. Telf. 233 41 63.
FORD. Velázquez, 68. Telf. 226 10 30.
FORD. Alcántara, 63. Telf. 275 70 33.
AUSTIN. Claudio Coello, 53. Telf. 275 84 00.
LANCIA. Núñez de Balboa, 53. Telf. 226 24 05.
MORRIS, WOLSELEY, M.G. Y OTRAS MARCAS INGLESAS. Trema Osnur. Villanueva, 30. Telf. 226 79 47.
OLDSMOBILE, CHEVROLET, CADILLAC, PONTIAC, BELFORD, VAUXHALL, BUICK, OPEL. Continental Auto, Alenza, 20. Telf. 233 04 08.

SURTIDORES DE GASOLINA DE 85 NO
POMPES A ESSENCE DE 85 NO
85 NO PETROL PUMPS
TANKSTELLEN MIT 85 NO BENZIN

MADRID. Bravo Murillo, esq. Feijóo.
MADRID. Puerta de Toledo.
MADRID. Carretera de Aragón, km. 6,5.
MADRID. Carretera de Madrid-Cáceres, km. 8,9.
MADRID. Carretera Madrid-Fuenlabrada.
MADRID. P.º de Chamberí.
MADRID. Glorieta de Ruiz Jiménez.
MADRID. Plaza de Santa Bárbara.
MADRID. Carretera Madrid-Barcelona, km. 6.
MADRID. Plaza de Julio Romero de Torres.
MADRID. Glorieta de Embajadores.

SURTIDORES DE GASOLINA DE 96 NO
POMPES A ESSENCE DE 96 NO
96 NO PETROL PUMPS
TANKSTELLEN MIT 96 NO BENZIN

MADRID. Plaza de Isabel II.
MADRID. Plaza República Argentina.
MADRID. Calle Miguel Ángel, 31.
MADRID. P.º de la Castellana, esq. a Cisne.
MADRID. Plaza de Colón.
MADRID. C/. Mateo Inurria.
MADRID. C/. Serrano, 65.
MADRID. Plaza de Salamanca.
MADRID. C/. Almagro, 26.
MADRID. C/. Alcalá. Escuelas Aguirre.
MADRID. Plaza de Cánovas.

MADRID. Carretera Madrid-Irún, km. 9,8.
MADRID. Virgen del Lluch, 16.

ESTACIONES DE SERVICIO
STATIONS SERVICE
PETROL STATIONS
TANKSTELLEN MIT SERVICE

MADRID. P.º de la Habana, 168.
MADRID. Calle de Alcalá, 410.
MADRID. Alberto Aguilera, 9.
MADRID. Calles José Hierro y Arturo Soria.
MADRID. Puerta de Hierro.
MADRID. Confluencias calles E. Ferrari y Ascao.
MADRID. Bravo Murillo, 358.
MADRID. Desviación Avda. de Oporto.
MADRID. Avda. de la Albufera, 79.
MADRID. Carretera Madrid-Valencia, km. 11,8.
MADRID. C/. Embajadores, 83.
MADRID. Madrid-Irún, km. 10,5.
MADRID. Avda. de la Albufera, 448.
MADRID. C/. Antonio López, 8.
MADRID. C/. Bravo Murillo, esq. Ríos Rosas.
MADRID. Carretera Madrid-Toledo, km. 5,9.
MADRID. C/. San Bernardo, 2.
MADRID. C/. Alcalá, 284-286.
MADRID. Carretera Fuencarral-La Playa, km 3,6.
MADRID. Carretera Madrid-La Coruña, km 12,6.
MADRID. C/. Serrano, esq. General Perón.
MADRID. C/. María de Molina.
MADRID. P.º Santa María de la Cabeza, 80.
MADRID. Plaza de Legazpi, 9.
MADRID. P.º del Prado, 36.
MADRID. Ronda de Segovia, 33.
MADRID. C/. General Ricardos, 210-212.
MADRID. P.º de Santa María de la Cabeza, 14.
MADRID. C/. General Mola, 94.
MADRID. Carretera Madrid-Vicálvaro, km. 4,1.
MADRID. C/. Alberto Aguilera, 18.
MADRID. C/. Goya, 24.
MADRID. Avda. del Dr. Esquerdo.
MADRID. Tramo Carretera Villaverde-Vallecas.
MADRID. P.º de las Delicias, 86.
MADRID. C/. Cartagena, 17.
MADRID. P.º del General Primo de Rivera, 22
MADRID. C/. General Pardiñas, 2.
MADRID. C/. Cea Bermúdez, 30.
MADRID. C/. Dr. Arce, esq. Rodríguez Marín.
MADRID. C/. Arturo Soria, c/v. Baldazano.
MADRID. Carretera Madrid-Extremadura, km 5,4. Carretera Madrid-Valencia, km. 11,2
MADRID. C/. García Morato, 78.
MADRID. C/. Bravo Murillo, esq. Lope de Haro.
MADRID. C/. del Corazón de María.
MADRID. C/. Bolivia, c/v. a Colombia.
MADRID. P.º de Infanta Isabel.
MADRID. Carretera Aragón, 288.
MADRID. Carretera Madrid-Valencia, km. 11,2.
MADRID. Prolongación Avda. de Séneca.
MADRID. Avda. de Pío XII, 98.

MADRID. C/. Espronceda, esq. Fernández de la Hoz.
MADRID. Carretera Madrid-Cádiz, km 5.
MADRID. Carretera de Extremadura, km 3,7.
MADRID. Avda. Ciudad de Barcelona, 55.
MADRID. P.º de las Acacias, 8.
ALCALÁ DE HENARES. Carretera Madrid-Barcelona, km 30,4.
ALCOBENDAS. Carretera Madrid-Irún, km 16,5.
ALCORCÓN. Carretera Extremadura, km 12,5.
ALCORCÓN. Carretera Madrid-Badajoz, km. 14,8.
ARANJUEZ. Carretera Madrid-Cádiz, km. 46,5.
BARAJAS. Carretera Madrid-Barcelona, km 12,6.
BRUNETE. Carretera Madrid-Navalcarnero, km 50.
LA CABRERA. Carretera Madrid-Irún, km 58,1.
CADALSO DE LOS VIDRIOS. Carretera Navalcarnero-Talavera, km 43.
CIEMPOZUELOS. Carretera Navalcarnero Chinchón, km 41,10.
COLMENAR DE OREJA. Carretera Chinchón-Madridejos, km 5.
COLMENAR VIEJO. Carretera Madrid-Miraflores, km 30,8.
FUENLABRADA. Carretera Villaviciosa-Pinto, km 12,8.
FUENTIDUEÑA DE TAJO. Carretera Madrid-Valencia, km 62,5.
GETAFE. Carretera Madrid-Toledo, km 10,3.
GETAFE. Carretera Madrid-Cádiz, km 14,3.
GETAFE. Carretera Madrid-Cádiz, km 12,5.
LOECHES. Cruce Carretera Alcalá de Henares-Arganda.
MADRID-BARAJAS. Carretera Madrid-Barcelona, km 6,5.
MANZANARES EL REAL. Carretera Torrelaguna-El Escorial, km 32,7.
MEJORADA DEL CAMPO. Carretera Mejorada-Loeches, km 0,8.
EL MOLAR. Carretera Madrid-Irún, km 42,2.
NAVALCARNERO. Carretera Madrid-Portugal, km 30,8.
NUEVO BAZTÁN. Carretera Nuevo Baztán-Ambite, km 0,1.
PERALES DE TAJUÑA. Carretera Madrid-Valencia, km 40,2.
PINTO. Carretera Madrid-Cádiz, km 20,2.
EL PLANTÍO. Avda. Casaquemada.
LAS ROZAS. Carretera Madrid-Coruña, km 17,3.
SAN LORENZO DE EL ESCORIAL. Carretera Navacerrada-Navalcarnero, km 21,3.
SAN MARTÍN DE VALDEIGLESIAS. Carretera Alcorcón-Plasencia, km 55,7.
SAN SEBASTIÁN DE LOS REYES. Carretera Madrid-Francia, km 25.
SOMOSIERRA. Carretera Madrid-Francia, km 92,5.
TORREJÓN DE ARDOZ. Carretera Madrid-Barcelona, km 20,1.
TORREJÓN DE LA CALZADA. Carretera Madrid-Toledo, km 25,8.

TORRELODONES. Carretera Madrid-Coruña. km 28,2.
VACIAMADRID. Carretera Madrid-Barcelona. km 19,5.
VILLALBA. Carretera Madrid-Coruña, km. 38,4.
VILLAREJO DE SALVANÉS. Carretera Madrid-Valencia, km 50,1.

TEATROS Y CINES
THEATRES ET CINES
THEATERS AND CINEMAS
THEATER UND KINOS

ALCÁZAR. Alcalá, 20.
ARLEQUÍN. San Bernardo, 5.
ARNICHES. Cedaceros, 7.
BEATRIZ. Claudio Coello, 47.
BELLAS ARTES. Marqués de Casa Riera, 2.
CALDERÓN. Atocha, 18.
CLUB. José Antonio, 35.
COMEDIA. Príncipe, 14.
CÓMICO. Maestro Victoria, 4.
ESLAVA. Arenal, 11.
ESPAÑOL. Príncipe, 25.
GOYA. Goya, 22.
INFANTA ISABEL. Barquillo, 24.
LARA. Corredera Baja, 15.
LATINA. Plaza de la Cebada, 2.
MARQUINA. Prim, 11.
MARAVILLAS. Malasaña, 6.
MARÍA GUERRERO. Tamayo, 4.
MARTÍN. Santa Brígida, 3.
CIRCO PRICE. Plaza del Rey, 5.
REAL. Plaza de Oriente, 4.
REINA VICTORIA. Carrera de San Jerónimo, 22.
VALLE-INCLÁN. Torre de Madrid, Princesa, 1.
ZARZUELA. Jovellanos, 4.
ALBENIZ. Paz, 11.
ALCALA-PALACE. Alcalá, 90.
AMAYA. Martínez Campos, 7.
ARGÜELLES. Marqués de Urquijo, 13.
AVENIDA. José Antonio, 37.
BARCELÓ. Barceló, 11.
BENLLIURE. Alcalá, 106.
BILBAO. Fuencarral, 118.
BULEVAR. Alberto Aguilera, 56.
CALLAO. Callao, 3.
CANCILLER. Salustiano Moreno, s/n.
CAPITOL. Avda. José Antonio, 41.
CARLOS III. Goya, 5.
CARTAGO. Bravo Murillo, 28.
CARLTON. Ayala, 95.
COLISEUM. Avda. José Antonio, 78.
CONDE DUQUE. Alberto Aguilera, 4.
CONSULADO. Atocha, 38.
EL ESPAÑOLETO. Fernández de los Ríos, 67.
FANTASIO. José Ortega y Gasset, 63.
FÍGARO. Doctor Cortezo, 5.
FUENCARRAL. Fuencarral, 133.
GRAN VÍA. Avda. José Antonio, 66.
GAYARRE. Avda. del Generalísimo, 6.
IMPERIAL. Avda. de José Antonio, 32.
INFANTE. Paseo de Santa María de la Cabeza, 12.

LOPE DE VEGA. Avda. José Antonio, 55.
LUCHANA. Luchana, 38.
MADRID. Plaza del Carmen, 3.
MOLA. General Mola, 86.
PALACE. Plaza de las Cortes, 7.
PALACIO DE LA MÚSICA. Avda. de José Antonio, 39.
PALACIO DE LA PRENSA. Plaza del Callao, 4.
PALAFOX. Luchana, 15.
PAZ. Fuencarral, 125.
POMPEYA. Avda. de José Antonio, 70.
PRINCESA. Princesa, 63.
PROGRESO. Plaza de Tirso de Molina, 1.
PROYECCIONES. Fuencarral, 136.
REGIO. Raimundo Fernández Villaverde, 8.
REX. Avda. de José Antonio, 43.
RIALTO. Avda. de José Antonio, 54.
RICHMOND. Lagasca, 31.
ROSALES. Quintana, 22.
ROXY A. Fuencarral, 123.
ROXY B. Fuencarral, 123.
TÍVOLI. Alcalá, 80.
TORRE DE MADRID. Princesa, 1.
VELÁZQUEZ. Velázquez, 85.

SALAS DE FIESTAS—CABARETS
NIGHT CLUBS—TANZLOKALE

ALAZÁN. Paseo de la Castellana, 24.
CASABLANCA. Plaza del Rey, 7.
CLUB AYALA. Ayala, 121.
CLUB CASTELLÓ. Castelló, 24.
CLUB CONSULADO. Atocha, 38.
CLUB LUSS MAY. Atocha, 125.
CLUB MELODÍAS. Desengaño, 12.
EL BIOMBO CHINO. Isabel la Católica, 6.
EL CISNE NEGRO. Cartagena, 89.
FLAMINGO. Mesonero Romanos, 15.
FOLIES. Paz, 11.
LA GALERA. Villalar, 8.
LIDO. Alcalá, 20.
MICHELETA. Costanilla de los Ángeles, 20.
MOLINO ROJO. Tribulete, 16.
MOROCCO. Marqués de Leganés, 7.
PARRILLA HOTEL CASTELLANA HILTON. Paseo de la Castellana, 55.
PARRILLA HOTEL PLAZA. Plaza de España, 1.
PASAPOGA. Avda. de José Antonio, 37.
RISCAL. Marqués del Riscal, 11.
ROYAL BUS. Avda. de José Antonio, 43.
SARATOGA. Doctor Cortezo, 1.
SEÑORIAL. Leganitos, 41.
TABARÍN. San Bernardo, 5.
J. & J. Plaza del Callao, 4.
NUEVA ROMANA. Carretera de La Coruña, km 9.
YORK CLUB. Avda. de José Antonio, 70.
YULIA. Tirso de Molina, 1.

SALAS DE FIESTAS EN VERANO
CABARETS D'ETE
SUMMER NIGHT CLUBS
SOMMERTANZLOKALE

FLORIDA PARK. Parque del Retiro.

PAVILLÓN. Parque del Retiro.
RIVIERA. Avda. del Manzanares, 1.

TABLAOS FLAMENCOS
SPECTACLES FLAMENCOS
FLAMENCO SHOWS
FLAMENCOVORSTELLUNGEN

ARCO DE CUCHILLEROS. Cuchilleros, 17. Telf. 232 44 39.
CORRAL DE LA MORERÍA. Morería, 17. Telf. 265 11 37 (Tiene restaurante) (1).
GITANILLO'S. Señores de Luzón, 3. Telf 248 51 51.
LAS BRUJAS. Norte, 15. Telf. 222 53 25. (Tiene restaurante) (1).
LOS CANASTEROS. Barbieri, 10. Telf. 231 91 72.
TORRES BERMEJAS. Mesonero Romanos, 15. Telf. 221 29 41. (Tiene restaurante) (1).
ZAMBRA. Ruiz de Alarcón, 7. Telf. 222 27 77.
VILLA ROSA. Plaza de Santa Ana, 15. Telf. 231 90 94. (Tiene restaurante) (1).
CUEVAS DE NEMESIO. Cava Alta, 5. Telf. 265 11 70.

PLAZAS DE TOROS
ARENES—BULLRINGS
STIERKAMPFARENAS

PLAZA DE TOROS MONUMENTAL DE LAS VENTAS.
PLAZA DE TOROS DE VISTA ALEGRE. Carabanchel Bajo.
PLAZA DE TOROS DE SAN SEBASTIÁN DE LOS REYES. San Sebastián de los Reyes.

CLUBS Y SOCIEDADES DEPORTIVAS
CLUBS ET SOCIETES SPORTIVES
CLUBS AND SPORTS SOCIETIES
CLUBS UND SPORTCLUBS

CANOE.
CIUDAD D. REAL MADRID.
CLUB PUERTA DE HIERRO. Carretera de El Pardo.
CLUB DE CAMPO. Carretera de Castilla.
CLUB APÓSTOL SANTIAGO. México, s/n.
CLUB ALPINO ESPAÑOL. Mayor, 6.
CLUB ALPINO GUADARRAMA. José Antonio, 11.
CLUB ALPINO PEÑALARA. José Antonio, 27.
CLUB DEPORTIVO EXCURSIONISTA. José Antonio, 45.
REAL AUTOMÓVIL CLUB. General Sanjurjo, 10. Telf. 257 60 05.

(1) Avec restaurant
With restaurant.
Mit Restaurant

PISCINAS—PISCINES
SWIMMING POOLS—SCHWIMMBÄDER

CASTILLA. La Habana, 187.
EL LAGO. Camino de El Pardo, 37.
MARBELLA. Vía Lusitana, 13.
CLUB ESTELLA. Arturo Soria, 231.
TRITÓN. Francisco de Diego, 15.
ESTADIO SAN MIGUEL. Calle de la Verdad, s/n.
TEQUILA. Arturo Soria, 146.
MUNICIPAL. Casa de Campo.
PLAYA VICTORIA. Travesía María Zayas.
FORMENTOR. López de Hoyos, 323.
PARQUE SINDICAL. Puerta de Hierro.
ATERPE-ALAI (Camping-Club). Km 25 de la carretera de Burgos.
NUEVA ROMANA. Km 9,2 de la carretera de La Coruña.
CLUB TURÍSTICO. Km. 12 de la carretera de La Coruña.
COSTA AZUL. Km 15 de la carretera de La Coruña.
PLAYA DE MADRID. Km 7 de la carretera de El Pardo.
VILLA VICTORIA. Km 8 de la carretera de Aragón.
TABARCA. Km. 13 de la carretera de Aragón.
FEDERACIÓN NACIONAL (cubierta, funciona todo el año). Pilar de Zaragoza, 99.

EMBAJADAS—AMBASSADES
EMBASSIES—BOTSCHAFTEN

ALEMANIA. Fortuny, 8. Telf. 224 61 40.
ARABIA SAUDÍ. Hermanos Bécquer, 4. Telf. 276 22 04.
ARGELIA. Zurbano, 100. Telf. 253 55 04.
ARGENTINA. Castellana, 63. Telf. 253 52 03.
AUSTRALIA (Consulado). General Sanjurjo, 44. Telf. 233 30 07.
AUSTRIA. Núñez de Balboa, 46. Telf. 276 78 79.
BÉLGICA. Padilla, 28. Telf. 275 58 00.
BOLIVIA. Alcalá, 32. Telf. 231 98 89.
BRASIL. Fernando del Santo, 6. Telf. 219 12 00.
CANADA. Avda. de José Antonio, 88. Telf. 247 54 00.
COLOMBIA. General Martínez Campos, 48. Telf. 224 64 03.
CONGO. Cea Bermúdez, 80. Telf. 244 48 18.
COSTA RICA. Alfonso XII, 16. Telf. 221 77 19.
CUBA. Juan de Mena, 8. Telf. 222 26 23.
CHILE. M. González Longoria, 7. Telf. 224 63 80.
CHINA. Zurbarán, 14. Telf. 219 06 62.
DINAMARCA. Serrano, 63. Telf. 226 82 96.
REPÚBLICA DOMINICANA. Carretera de Aragón. Telf. 205 43 18.
ECUADOR. Alfonso XII, 48. Telf. 230 29 18.
EE.UU. Serrano, 75. Telf. 276 34 00.
FILIPINAS. Plaza Alonso Martínez, 3. Telf. 224 86 90.
FINLANDIA. Carbonero y Sol, 18. Telf. 261 76 02.

FRANCIA. Serrano, 124. Telf. 261 66 07.
GRAN BRETAÑA. Fernando el Santo, 16. Telf. 219 02 00.
GRECIA. Almagro, 29. Telf. 223 48 62.
GUATEMALA. Diego de León, 54. Telf. 276 67 40.
HAITÍ. José Ortega y Gasset, 17. Telf. 275 89 19.
HOLANDA. Velázquez, 63. Telf. 275 02 05.
HONDURAS. General Yagüe, 4. Telf. 2796033.
INDIA. Marqués de Urquijo, 38. Telf. 248 93 39.
IRAK. Hermanos Bécquer, 6. Telf. 276 21 16.
IRÁN Y PERSIA. Jerez, 6 (Chamartín). Telf. 259 08 01.
IRLANDA. Núñez de Balboa, 30. Telf. 225 16 85.
ITALIA. Lagasca, 58. Telf. 225 39 81.
JAPÓN. Paseo de La Habana, 7. Telf. 261 52 05.
JORDANIA. Lagasca, 83. Telf. 276 68 30.
LÍBANO. General Sanjurjo, 47. Telf. 253 27 05.
LIBERIA. Padilla, 22. Telf. 276 10 05.
LIBIA. Cea Bermúdez, 74. Telf. 244 19 50.
MARRUECOS. Núñez de Balboa, 40. Telf. 276 56 05.
MAURITANIA. Velázquez, 90. Telf. 275 70 07.
NICARAGUA. Bravo Murillo, 28. Telf. 224 34 27.
NORUEGA. Alcalá Galiano, 3. Telf. 219 28 50.
ORDEN DE MALTA *(Legación)*. Pinar, 10. Telf. 261 94 26.
PAKISTÁN. Almagro, 36. Telf. 257 20 07.
PANAMÁ. Avda. Generalísimo, 69. Telf. 215 47 47.
PARAGUAY. Castelló, 30. Telf. 276 31 86.
PERÚ. Hermanos Bécquer, 8. Telf. 225 87 22.
PORTUGAL. Pinar, 1. Telf. 261 78 00.
REPÚBLICA ÁRABE UNIDA. Miguel Ángel, 23. Telf. 223 51 13.
EL SALVADOR. María de Molina, 2. Telf. 261 81 24.
SANTA SEDE (Nunciatura). Avda. Pio XII, 46. Telf. 259 32 00.
SIRIA. Plaza Platería Martínez, 1. Telf. 239 46 19.
SUDÁFRICA. Castellana, 1. Telf. 219 06 12.
SUECIA. Zurbano, 27. Telf. 223 26 78.
SUIZA. Zurbano, 25. Telf. 224 23 54.
THAILANDIA. Avda. Pío XII, 41. Telf. 233 34 51.
TÚNEZ. General Oraá, 3. Telf. 225 16 75.
TURQUÍA. Montesquinza, 48. Telf. 224 87 96.
URUGUAY. Juan Bravo, 32. Telf. 276 05 78.
VENZUELA. Alcalá, 108. Telf. 225 93 16.

BANCOS—BANQUES
BANKS—BANKEN

BANCA LÓPEZ QUESADA. Carrera de San Jerónimo, 25.
BANCA NACIONAL DEL LAVORO, Príncipe, 12.
BANCO DE ALMAGRO. Príncipe, 21.
BANCO DE ARAGÓN. Avda. José Antonio, 14.
BANCO ATLÁNTICO. Los Madrazo, 28.

BANCO DE BILBAO. Alcalá, 16.
BANCO CASTELLANO. Pl. de Santa Ana, 4
BANCO CENTRAL. Alcalá, 49.
BANCO COCA. Avda. José Antonio, 30.
BANCO COMERCIAL TRASATLÁNTICO. P.º del Prado, 8.
BANCO DE COMERCIO, S. A. Alcalá, 54.
BANCO DE COMERCIO, S. A. MÉXICO. Cedaceros, 6.
BANCO DE LA CONSTRUCCION. Juan Bravo, 69.
BANCO DE CRÉDITO BALEAR, S. A. Recoletos, 21.
BANCO DE CRÉDITO INDUSTRIAL. Carrera de San Jerónimo, 40.
BANCO DE CRÉDITO E INVERSIONES. Montera, 45.
BANCO DE CRÉDITO LOCAL DE ESPAÑA. P.º del Prado, 4.
BANCO DE ESPAÑA. Alcalá, 50.
BANCO ESPAÑOL DE CRÉDITO. Alcalá, 14.
BANCO EXTERIOR DE ESPAÑA. Carrera de San Jerónimo, 36.
BANCO GRAL. COMERCIO E INDUSTRIA. Cedaceros, 6.
BANCO GUIPUZCOANO. Avda. José Antonio, 22.
BANCO HIPOTECARIO DE ESPAÑA. P.º de Calvo Sotelo, 10.
BANCO HISPANO AMERICANO. Pl. de Canalejas, 1.
BANCO HISPANO SUIZO. Cedaceros, 9.
BANCO IBÉRICO. Avda. José Antonio, 18.
BANCO INTERNACIONAL DE COMERCIO. Carrera San Jerónimo, 28.
BANCO DE LONDRES Y AMÉRICA. Avda. José Antonio, 6.
BANCO DE MADRID. Carrera San Jerónimo, 15.
BANCO DE MÁLAGA. Jacometrezo, 3.
BANCO MERCANTIL E INDUSTRIAL. Alcalá, 31.
BANCO NACIONAL DE MÉXICO. Alcalá, 45.
BANCO PASTOR. Alcalá, 46.
BANCO PENINSULAR. Carrera San Jerónimo, 44.
BANCO POPULAR ESPAÑOL. Alcalá, 40.
BANCO DE LA PROPIEDAD. Pl. de la Independencia, 5.
BANCO RURAL Y MEDITERRÁNEO. Alcalá, 17.
BANCO DE SANTANDER. Alcalá, 37.
BANCO DE SIERO. Peligros, 9.
BANCO SOLER Y TORRA. Los Madrazo, 28.
BANCO URQUIJO. Alcalá, 47.
BANCO DE VIZCAYA. Alcalá, 45.
BANCO ZARAGOZANO. Alcalá, 10.

ALMACENES COMERCIALES
GRANDS MAGASINS
DEPARTMENT STORES
KAUFHÄUSER

CELSO GARCÍA. Serrano, 52.
CORTEFIEL. Avda. José Antonio, 27.

233

EL CORTE INGLÉS. Preciados, 3; Goya, 74.
ELEUTERIO. Fuencarral, 14.
GALERÍAS PRECIADOS. Preciados, 28; Arapiles, 10 y 12; José Ortega y Gasset, 56.
IREGUA. Carretas, 10.
LOS SÓTANOS. Avda. José Antonio, 55.
MAZÓN. Fuencarral, 103.
PROGRESO. Alcalá, 123.
RODRÍGUEZ. José Antonio, 19.
SAN MATEO. Fuencarral, 70.
SARMA. Plaza Pablo Garnica (Barrio Moratalaz); Glorieta de Cuatro Caminos.
SEDERÍAS CARRETAS. Carretas, 6.
S.E.P.U. Avda. José Antonio, 32.
SIMAGO. Cartagena, 34; Hermanos Miralles, 16; Avda. Albufera, 9.
SIMEÓN. Pl. del Ángel, 8.

BIBLIOTECAS—BIBLIOTHEQUES
LIBRARIES BIBLIOTHEKEN

BIBLIOTECA NACIONAL. Calvo Sotelo, 20.
BIBLIOTECA MUNICIPAL. Fuencarral, 78.
BIBLIOTECA TÉCNICA DEL AYUNTAMIENTO. Plaza de la Villa, 9.
BIBLIOTECA CENTRAL MILITAR. Mártires de Alcalá, 9.
BIBLIOTECA DE AUTORES CRISTIANOS. Mateo Inurria, 15.
BIBLIOTECA MODERNA. Don Ramón de la Cruz, 60.
BIBLIOTECA POPULAR RUIZ EGEA. Raimundo Fernández Villaverde, 2.
BIBLIOTECA POPULAR J DE ACUÑA. Avda. José Antonio, 45.
BIBLIOTECA POPULAR MAESTRO LÓPEZ DE HOYOS. Marcenado, 5.
BIBLIOTECA POPULAR MENÉNDEZ PELAYO. San Opropio, 16.
BIBLIOTECA POPULAR CONCHA ESPINA. Núñez de Balboa, 85.
BIBLIOTECA CIRCULANTE. Avda. José Antonio, 31.
BIBLIOTECA CIRCULANTE. Manzanares, 17.
BIBLIOTECA CIRCULANTE CID. Avda. José Antonio, 31.

ARTESANÍA—ARTISANAT
HANDICRAFTS—KUNSTGEWERBE

MERCADO NACIONAL DE ARTESANÍA. Floridablanca, 1.
FESTIVAL ARTE CONTEMPORÁNEO ESPAÑOL. Barquillo, 44.

ANTICUARIOS—ANTIQUAIRES
ANTIQUES—ANTIQUITÄTENHÄNDLER

LINARES. Plaza de las Cortes, 11.
SALA FRANCA. Carrera de San Jerónimo, 46.
VINDEL. Plaza de las Cortes, 10.
PEDRO LÓPEZ. Calle del Prado.
EUTIQUIANO GARCÍA. Plaza de Santa Ana, 1.

LUCAS. Calle del Prado, 17.
RASTRO. Ribera de Curtidores.

HORARIO DEL COMERCIO
HORAIRE DU COMMERCE
SHOPPING HOURS
GESCHÄFTSZEITEN

Mañanas: 9.30 a 13,30
Tardes: 16,30 a 20.

EXCURSIONES A LOS ALREDEDORES
DE MADRID

ALCALÁ DE HENARES. A 31 km. por carretera. Trenes y autobuses. Antigua Universidad Complutense. Colegio del Rey. Casa Ayuntamiento. Monasterio de Monjes Bernardos. Casa de Cervantes. Archivo General Central. Típicas calles y posadas. Hostería del Estudiante. Esta ciudad, cuna de Cervantes, conserva recuerdos importantes de su pasado esplendor (siglos XV y XVI), creado en torno a su famosa Universidad.

ARANJUEZ. A 47 km. Trenes y autobuses. Palacio Real, Jardines del Parterre, de las Estatuas y de la Isla. Casita del Labrador. Fue elegido Real Sitio por su espléndida situación a orillas del Tajo, en uno de los más bellos y frondosos parajes de la provincia. El magnífico conjunto formado por el pueblo, palacios y jardines tuvo su mejor época en el siglo XVIII, y goza de una deliciosa temperatura en primavera y otoño.

ÁVILA. A 112 km., por carretera. Trenes y autobuses. Las murallas (siglo XII). Catedral. Conventos de Santa Teresa, de la Encarnación, de San José, de Santo Tomás. Iglesia de San Vicente. Iglesia de San Pedro. Casa de los Dávila, Casa del Conde de Oñate. Los Cuatro Postes. En plena meseta castellana, con una altitud de 1.130 metros sobre el nivel del mar, se alza Ávila, rodeada de murallas, que guardan el noble encanto de la vieja ciudad monacal y austera, cuyo conjunto artístico aparece como el de más hondo y profundo ambiente castellano. Dentro de su riqueza y variedad son constantes la evocación al pasado y el recuerdo de Teresa de Jesús.

EL ESCORIAL. A 49 km. por carretera. Trenes y autobuses. Monasterio, erigido por Felipe II; consta de Palacio, Panteones, Salas Capitulares, Basílica y Biblioteca. Casita del Príncipe.
El Real Sitio de San Lorenzo de El Escorial está situado en las estribaciones de la Sierra de Guadarrama, con magníficas condiciones climáticas, que lo constituyen en una de las más concurridas estaciones veraniegas.

EL PARDO. Extenso parque natural de espesos encinares, robles y jarales, muy abundante en caza mayor y menor. En medio de este bosque se halla el pueblo de El Pardo y el palacio del mismo nombre, mandado levantar por Carlos V sobre una antigua casa real de caza, y hoy residencia del Jefe del Estado.

LA GRANJA DE SAN ILDEFONSO. A 77 km. de Madrid y 11 de Segovia. Autobuses desde Madrid y Segovia. Palacio Real. Jardines y fuentes. Lago artificial. Antigua fábrica de cristal.
Designado por Felipe V para Real Sitio veraniego, el conjunto de palacios y jardines recuerda un pequeño Versalles, enmarcado por un paisaje de grandiosa belleza al pie mismo del Guadarrama en su vertiente norte y a 1.191 metros de altitud.

PUERTO DE NAVACERRADA. A 60 km., por carretera. Trenes y autobuses. La sierra de Guadarrama se extiende al norte de Madrid y constituye la zona de expansión más importante de la capital. Los pueblos que se hallan en sus vertientes son todos conocidos centros veraniegos. El Puerto de Navacerrada, a 1.850 metros de altitud, es punto de partida para interesantes excursiones y es el lugar más importante para la práctica de deportes de invierno. Cuenta con excelentes instalaciones para ello: pistas, telesquí, telesilla, refugios, clubs, hoteles y restaurantes. En verano, por su clima y su proximidad a Madrid, es un lugar muy concurrido.

TOLEDO. A 71 km., por carretera. Trenes y autobuses. Catedral gótica (siglo XIII). El Greco (Catedral, Museo del Greco, Santo Tomé, Museo de San Vicente, Santo Domingo del Antiguo, Capilla de San José). Sinagoga del Tránsito, Santa María la Blanca, Mezquita del Cristo de la Luz, Hospital de Santa Cruz, Hospital de Afuera, Alcázar, en reconstrucción.
Esta ciudad, enclavada sobre un promontorio y rodeada por el Tajo, ha sido declarada Monumento Nacional con todos sus palacios, iglesias, puentes y arrabales. Posee muestras inapreciables del arte árabe, mudéjar, judío y cristiano. Toledo representa el clásico cruce de culturas y es la síntesis más brillante de la historia y del arte españoles.

SEGOVIA. A 88 km., por Navacerrada, y 95, por Guadarrama. Trenes y autobuses. Acueducto romano. El Alcázar. Catedral. Iglesias románicas de San Martín, San Millán, San Esteban, San Andrés, San Justo y San Lorenzo. Conventos góticos de Santa Cruz, de San Antonio el Real, del Carmen (sepulcro de San Juan de la Cruz). Monasterio del Parral. Casa de los Picos.
Segovia guarda recuerdos de excepcional interés, como el acueducto romano, todavía en uso, una estimable colección de iglesias románicas y, en general, muestras de arte de todas las épocas. Ciudad típicamente castellana, que ha protagonizado mil luchas medievales, hoy ofrece el perfil legendario de su Alcázar, recortado como un espolón

sobre la confluencia del Eresma y el Clamores.

VALLE DE LOS CAÍDOS. A 54 km. de Madrid y 14 de El Escorial. Servicio de autobuses. Iglesia subterránea. Monumental cruz (150 metros de altura). Vía Crucis. Monasterio. Hospedería.
El monumento nacional a los muertos por España ha sido erigido en el lugar denominado Cuelgamuros, entre El Escorial y Guadarrama.

RUTA DE LOS PANTANOS. En el límite de las provincias de Guadalajara y Cuenca se han construido recientemente los pantanos de Entrepeñas y de Buendía, que regulan el curso de las aguas de los ríos Tajo y Guadiela. Unidos por un túnel de transvase, forman uno de los conjuntos hidrográficos más importantes de Europa (2.468 millones de metros cúbicos). La presa de Entrepeñas se halla enclavada en una zona montañosa de gran belleza, mientras que el pantano de Buendía forma un extenso lago (50 km. de cola), bordeado de suaves colinas, que están siendo objeto de una intensa repoblación forestal. Ambos pantanos son un lugar muy adecuado para la navegación a motor y el esquí acuático.
La «ruta de los pantanos» parte de Guadalajara (palacio ducal de los Duques del Infantado, en reconstrucción), siguiendo la carretera de Cuenca hasta Sacedón, donde se toma la que lleva a Buendía. El recorrido total aumenta en 20 km. si se pasa por Pastrana (palacio de la Princesa de Éboli; Colegiata: valiosa colección de tapices del siglo XV sobre cartones de Nuño Gonçalves).

EXCURSIONS AUX ENVIRONS DE MADRID

ALCALÁ DE HENARES. À 31 km. par route. Trains et autobus. Ancienne Université. Collège du Roi. Hôtel de Ville. Monastère de Moines de St. Bernard. Maison de Cervantes. Archives Générales Centrales. Rues et auberges typiques. Hôtellerie de l'Etudiant. Cette ville, berceau de Cervantes, conserve d'importants souvenirs de sa splendeur passée (XV et XVIᵉ ss.), due à sa fameuse Université.

ARANJUEZ. À 47 km. Trains et autobus. Palais Royal, Jardins du Parterre, des Statues et de l'Ile, Maisonnette du Laboureur (Casita del Labrador). Fut choisie comme Résidence Royale en raison de sa splendide situation au bord du Tage, dans un des plus beaux et verdoyants endroits de la province. Le magnifique ensemble formé par le village, les palais et les jardins eut sa meilleure époque au XVIIIᵉ s. et jouit d'une température délicieuse au printemps et en automne.

AVILA. À 112 km. par route. Trains et autobus. Les murailles (XIIᵉ s.). Cathédrale. Couvents de Ste. Thérèse, de l'Incarnation,

235

de St. Joseph, de St. Thomas. Eglise de St. Vincent. Eglise de St. Pierre. Maison des Davila. Maison du Comte de Oñate. «Los cuatro Postes». En plein plateau castillan, avec une altitude de 1.130 mètres audessus du niveau de la mer, se dresse Avila, entourée de murailles qui conservent le charme de la vieille ville monacale et austère dont l'ensemble artistique présente la plus profonde ambiance castillane. Dans sa richesse et sa variété, l'évocation du passé et le souvenir de Ste. Thérèse de Jésus sont constants.

EL ESCORIAL. À 49 km., par la route. Trains et autobus. Monastère érigé par Philippe II, comporte un Palais, des Panthéons, Salles Capitulaires, Basilique et Bibliothèque. Maisonnette du Prince. La Résidence Royale de San Lorenzo de El Escorial est située sur les contreforts de la sierra de Guadarrama, avec de magnifiques conditions climatiques qui en font une des stations de villégiature les plus fréquentées.

EL PARDO. Vaste parc naturel de hêtres, chênes, et halliers épais où abonde le petit et le gros gibier. Au milieu de ces bois se trouve le village de El Pardo et le palais du même nom, élevé sur l'ordre de Charles Quint sur une ancienne maison royale de chasse et aujourd'hui résidence du Chef de l'Etat.

LA GRANJA DE SAN ILDEFONSO. À 77 km. de Madrid et 11 de Ségovie. Autobus depuis Madrid et Ségovie. Palais Royal, Jardins et fontaines. Lac artificiel. Ancienne fabrique de verre. Choisi par Philippe V comme Résidence Royale d'été, l'ensemble de palais et jardins rappelle un petit Versailles, encadré par un paysage d'une beauté grandiose, au pied même du Guadarrama à son versant nord et à 1.191 mètres d'altitude.

PUERTO DE NAVACERRADA. À 60 km., par la route. Trains et autobus. La sierra de Guadarrama s'étend au nord de Madrid et constitue la zone d'expansion la plus importante de la capitale. Les villages qui se trouvent sur ses versants sont tous des centres de villégiature bien connus. Le Puerto de Navacerrada, à 1.850 mètres d'altitudes, est le point de départ d'intéressantes excursions et l'endroit le plus important pour la pratique des sports d'hiver. Il comporte d'excellentes installations: pistes, téléski, télésiège, refuges, clubs, hôtels et restaurants. En été, pour son climat et sa proximité de Madrid, c'est un endroit très fréquenté.

TOLEDE. À 71 km, par route. Trains et autobus. Cathédrale gothique (XIIIᵉ s.). El Gréco (Cathédrale, Musée du Gréco, Santo Tomé, Musée de St. Vincent, Santo Domingo el Antiguo, Chapelle de St. Joseph). Synagogue du Transit, Ste. Marie la Blache, Mosquée du Christ de la Lumière, Hôpital de Ste. Croix, Hôpital de Afuera, Alcazar, en reconstruction.
Cette ville, située sur un promontoire et entourée par le Tage, a été déclarée Monument National avec tous ses palais, églises, ponts et faubourgs. Elle possède des échantillons inappréciables de l'art arabe, mudéjar, juif et chrétien. Tolède représentele classique carrefour de cultures et est la synthèse la plus brillante de l'histoire et de l'art espagnols.

SEGOVIE. À 88 km., par Navacerrada, et 95 par Guadarrama. Trains et autobus. Aqueduc romain. Alcazar, Cathédrale. Eglises romanes de St. Martin, St. Millan, St. Etienne, St. André, St. Juste et St. Laurent.Couvents gothiques de Ste. Croix, St. Antonio el Real, du Carmen (sépulcre de St. Jean de la Croix). Monastère du Parral, «Casa de los Picos».
Ségovie garde des souvenirs d'un intérêt exceptionnel, comme l'aqueduc romain, encore utilisé, une estimable collection d'églises romanes et, en général, des échantillons d'art de toutes les époques. Ville typiquement castillane, qui a connu mille luttes médiévales, et offre aujourd'hui le profil légendaire de son Alcazar se découpant comme un éperon sur le confluent de l'Eresma et le Clamores.

VALLE DE LOS CAÍDOS. À 54 km. de Madrid et 14 de l'Escorial. Service d'autobus. Eglise souterraine. Croix monumentale (150 mètres d'altitude). Chemin de Croix. Monastère. Hôtellerie.
Le monument national aux morts d'Espagne a été érigé à l'endroit dénommé Cuelgamuros, entre El Escorial et Guadarrama.

ROUTE DES LACS. À la limite des provinces de Guadalajara et Cuenca on a construit récemment les lacs d'Entrepeñas et Buendia, qui règlent le cours des eaux des fleuves Tage et Guadiela. Unis par un tunnel de transvasement, ils forment un des ensembles hydrographiques les plus importants d'Europe (2.468 millions de mètres cubes). Le barrage d'Entrepeñas est enclavé dans une zone montagneuse de grande beauté, tandis que le lac de Buendia forme une vaste superficie d'eau (50 km.) bordée de douces collines, qui sont l'objet d'un intense reboisement. Les deux lacs sont un endroit très adéquat pour la navigation à moteur et le ski nautique. La «route des lacs» part de Guadalajara (palais gothique des Ducs de l'Infantado, en reconstruction), suivant la route de Cuenca jusqu'à Sacedon, où l'on prend celle qui conduit à Buendia. Le parcours total augmente de 20 km. si on passe par Pastrana (palais de la princesse d'Éboli, collégiale, précieuse collection de tapisseries du XVᵉ s. sur cartons de Nuño Gonçalves).

EXCURSIONS ROUND AND ABOUT MADRID

ALCALA DE HENARES. 31 kms. by road. Trains and buses. Former University town. King's College. Town Hall. Monastery of Bernardine Monks. Cervantes House. Central General Archives. Typical streets and inns. Hosteria del Estudiante. This town, which is the birthplace of Cervantes, is full of reminders of its past splendour (XV and XVI centuries), built up around the famous University.

ARANJUEZ. 47 kms. Trains and buses. Royal Palace, Parterre gardens, also Statue and Islands gardens. Workman's cottage (Casita del Labrador). It was chosen as a royal residence because of its marvellous situation on the banks of the Tajo, in one of the most beautiful, fertile landscapes of the province. This magnificent setting of town, palaces and gardens was at its best during the XVIII century. It has a delightful spring and autumn temperature.

AVILA. 112 kms. by road. Trains and buses. The city walls (XII century). Cathedral. Convents of Santa Teresa, La Encarnación, San José, Santo Tomas. Church of San Vicente. Church of San Pedro. Home of the Davila family. Home of the Counts of Oñate. The four Postes. Avila is situated right in the middle of the Castilian plateau, some 1,130 meters above sea level, surrounded by its wall, which seem to preservethe noble charm of the old austere, monastic city. The whole setting seems to be seeped in the deepest, most profound Castilian atmosphere. Within the richness and variety of the city, there are constant reminders of the past and of Teresa de Jesus.

EL ESCORIAL. 49 kms. by road. Trains and buses. Monastery, built by Felipe II; it consists of Palace, Pantheons, Capitular Chambers, Basilica and Library. Prince's cottage.
The Royal residence of San Lorenzo de El Escorial is situated on the spurs of the Guadarrama mountain range, with magnificent climatic conditions, making the town a very popular summer resort.

EL PARDO. Extensive natural park of thick oaks and holm oaks and brambles, with plenty o small and large game. The village of El Pardo is situated right in the middle of the forest. The palace was built by Carlos V around a royal shooting lodge. It is now the residence of the Head of State.

LA GRANJA DE SAN ILDEFONSO. 77 kms. from Madrid and 11 from Segovia. Buses from Madrid and Segovia. Royal Palace. Gardens and fountains. Artificial lake. Old glass factory.
Designed by Felipe V as a Royal summer residence. The setting of palaces and gardens is similar to a small Versailles, set in a landscape of magnificent beauty right at the foot of the Guadarrama, on its northern slope, 1,191 meters high.

PUERTO DE NAVACERRADA. (Mountain pass). 60 kms. from Madrid by road. Trains and buses. The Guadarrama range stretches out to the north of Madrid and is the capital's most important expansion area. The villages on the slopes are all popular summer resorts. The Puerto de Navacerrada, 1,850 meters high, is the starting point for interesting excursions and is the most important site for winter sports. There ate excellent installations: slopes, ski lifts, lodges, clubs, hotels and restaurants. It is very popular in summer, due to the climate and its proximity to Madrid.

TOLEDO. 71 kms. by road. Trains and buses. Gothic cathedral (XIII century). El Greco (Cathedral, El Greco Museum, Santo Tome, San Vicente Museum, Santo Domingo el Antiguo, San Jose Chapel). Transito Synagogue, Santa Maria la Blanca, Mosque Cristo de la Luz, Santa Cruz Hospital, Afuera Hospital, Alcazar or castle, under reconstruction.
This city, situated on a promontory and surrounded by the Tajo, has been declared a National Monument with all its palaces, churches, bridges and outskirts. There are exceptional examples of Arab, Mudejar, Jewish and Christian art. Toledo represents the classic crossroads of cultures and is the most brillian synthesis of history and Spanish art.

SEGOVIA. 88 kms. via Navacerrada and 95 via Guadarrama. Trains and buses. Roman aqueduct. The Alcazar. Cathedral. Romanic churches of San Martin, San Millan, San Esteban, San Andres, San Justo and San Lorenzo. Gothic monasteries of Santa Cruz, San Antonio el Real, El Carmen (Tomb of San Juan de la Cruz). Monastery of El Parral. Casa de los Picos. There are several monuments of exceptional interest in Segovia, such as the Roman aqueduct, still in use, an estimable collection of romanic churches and, in general, samples of art of all the centuries. A typically Castilian city, which played leading roles in numerous medieval battles, with the legendary outline of its castle cut out like a spur on the confluence of the Eresma and the Clamores.

VALLE DE LOS CAIDOS (Valley of the Fallen). 54 kms. from Madrid and 14 from El Escorial. Bus service. Underground church. Monumental cross (150 meters high). Via Crucis. Monastery. Inn.
The national monument to Spain's dead is built on a site called Cuelgamuros, between El Escorial and Guadarrama.

RUTA DE LOS PANTANOS (RESERVOIR ROUTE). The reservoirs of Entrepeñas and Buendia, regulating the flow of the rivers Tajo and Guadiela, were recently construc ted on the border of the provinces of Gua dalajara and Cuenca. They are joined together by transfer tunnel and form one of the most important hydrographic groups in Europe (2,468 million cubic meters). The Entrepeñas dam is situated in a very lovely mountain region, whilst the Buendia reservoir is an extensive lake (50 km. long.) bordered by undulating hills, wich are being planted with trees. Both reservoirs are ideal for motor boating and water skiing.

The «reservoir route» starts in Guadalajara (gothic palace of the Dukes of El Infantado, under reconstruction), taking the Cuenca road as far as Sacedon, branching off on to the Buendia road. The run is about 20 kms. if you include Pastrana (palace of the Princess of Eboli, Collegiate church, valuable collection of XV tapestries on cartoons by Nuño Gonçalves).

AUSFLÜGE IN DIE MADRIDER UMGEBUNG

ALCALA DE HENARES. 31 Strassenkilometer entfernt. Bahn— und Busverbindungen. Alte Universität. Colegio del Rey. Rathaus. Kloster des Bernhardinerordens. Cervanteshaus. Allgemeines Zentralarchiv. Typische Strassen und Gasthäuser. Hosteria del Estudiante. Diese Stadt, in der die Wiege Cervantes stand, bewahrt noch bedeutende Andenken an ihre glanzvolle Vergangenheit, die eng mit ihrer berühmten Universität verknüpft ist.

ARANJUEZ. 47 Km entfernt. Bahn- und Busverbindungen. Königsschloss, Blumengarten (Jardin del Parterre), Anlage mit Skulpturen und Inselpark. Casita de Labrador. Wurde als königliche Sommerresidenz auserkoren auf Grund der vortrefflichen Lage am Ufer des Tajos, in einer der schönsten und fruchtbarsten Gegenden der Provinz. Dorf, Schloss und Parkanlagen bilden eine prachtvolle Einheit, die im 18. Jh. ihre Glanzzeit erlebte. Die Temperatur im Frühjahr und Herbst ist besonders angenehm hier.

AVILA. 112 Km entfernt. Bahn- und Busverbindungen. Stadtmauer (aus dem 12 Jh.) Kathedrale. Klöster: Santa Teresa, Encarnación. San José, Santo Tomás Kirchen San Vicente, San Pedro. Das Haus der Davilas. Das Haus des Grafen von Oñate. Los cuatro Postes (Steinkreuz). Mitten auf der kastilischen Hochebene, 1130 m über dem Meeresspiegel, erhebt sich Avila, umgeben von ihren Mauern, die den alten Zauber einer ehrwürdigen und strengen Klosterstadt bewahrt hat. Hier wie nirgends sonst ist·das innerste Wesen Kastiliens zu spuren. Zahlreiche Kunstschätze und Erinnerungen schwören allenthalben die glorreiche Vergangenheit und das Leben der hl. Teresa vom Kinde Jesu herauf.

EL ESCORIAL. 49 Km entfernt. Bahn- und Busverbindungen. Kloster, von Philip II gebaut. Besteht aus: Palast, königlicher Gruft, Kapitelsäle, Basilika und Bibliothek. Casita del Principe.
Das königliche Kloster San Lorenzo de El Escorial liegt an den Ausläufern der Sierra de Guadarrama. Ausgezeichnete klimatische Verhältnisse, und daher ist der meistbesuchtesten Sommeraufenthaltsorte.

EL PARDO. Ausgedehnter Naturpark mit dichtem Eichen- und Strauchbestand. Sehr reich an Hoch- und Niederwild. Das Dorf und das Schloss desselben Namens liegen mitten dieses Waldes. Das Schloss wurde im Auftrag Karls V auf einem ehemaligen königlichen Jagdhaus errichtet. Heute dient es al Residenz des spanischen Staatschefs.

LA GRANJA DE SAN ILDEFONSO. 77 Km von Madrid und 11 Km von Segovia entfernt. Busverbindungen von Madrid und von Segovia aus. Königliches Schloss. Gärten und Brunnen. Künstlicher See. Ehemalige Glasfabrik. Von Philip V als Sommerresidenz ausgebaut. Palas und Gartenanlagen erinnern an ein Kleinversailles. Liegt eingebettet in einer Landschaft von ungewöhnlicher Schönheit: unmittelbar am Fusse des nördlichen Guadarramaabhanges, in 1191 m Höhe.

DER NAVACERRADA PASS. 60 Km entfernt. Bahn- und Busverbindungen. Nördlich Madrids erstreckt sich die Sierra del Guadarrama, das wichtigste Auslaufsgebiet der madrider Bevölkerung. Alle Dörfer an ihren Abhängen sind bekannte Zentren für die Sommerfrische. Der Navacerrada Pass selbst, der in einer Höhe von 1850 m über dem Meeresspiegel liegt, ist häufiger Ausgangspunkt für interessante Ausflüge. Ausserdem ist er die bedeutendste Wintersportstation der ganzen Sierra und verfügt über ausgezeichnete Einrichtungen: Pisten, Skilifte, Skihütten, Clubs, Hotels, Restaurants. Auch im Sommer ist der Pass ein beliebtes Ziel, das von der Hauptstadt aus schnell zu erreichen ist.

TOLEDO. 71 Km entfernt. Bahn- und Busverbindungen. Gotische Kathedrale (18 Jh.) El Greco Gemälde (Kathedrale, El Greco Museum, Santo Tomé, San Vicente Museum, Santo Domingo el Antiguo, San José Kapelle), Transitó Synagoge, Santa Maria la Blanca, Moschee Cristo de la Luz, Santa Cruz Hospital, Hospital de Afuera, der Alcazar (im Wiederaufbau begriffen).
Die Stadt ist auf einer Anhöhe gebaut, die von drei Seiten steil zum Tajo abfällt. Auf Grund der zahlreichen Paläste, Kirchen, Brücken und der wunderbaren Umgebung ist Toledo zum Nationaldenkmalerklärt worden. Die Stadt beherbergt unschätzbare Zeugnisse arabischer, mudejar, jüdischer und christlicher Kunst. Toledo ist zum Schmelztiegel aller Kulturen, geworden die sich auf der iberischen Halbinsel niedergelassen haben, und gleichzeitig damit stellt es die vortrefflichste Syntese der Geschichte und Kunst Spaniens dar.

SEGOVIA. Über Navacerrada 88 Km, über Guadarrama 95 Km entfernt. Bahn— und Busverbindungen. Römischer Aquädukt. Der Alcázar. Kathedrale. Zahlreiche romanische Kirchen: San Martin, San Millán, San Esteban, San Andrés, San Justo und San Lorenzo. Gotische Klöster: Santa Cruz, San Antonio el Real, del Carmen (Grabstätte des hl. Johannes vom Kreuz). Mönchskloster el Parral. Casa de los Picos.

Segovia hat Bauwerke von aussergewöhnlichem Interesse, z.B. der römische Aquädukt, der noch heute in Gebrauch ist, zahlreiche romanische Kirchen und ganz allgemein gesprochen Kunstdenkmäler aus allen geschichtlichen Epochen. Segovia ist eine Stadt mit ausgeprägtem kastilischem Charakter, ihr Name ist eng verbunden mit zahllosen mittelalterlichen Kämpfen, in denen sie die Hauptrolle gespielt hat. Heute bewundert man den sagenumwobenen Alcazar, der sich am Zusammenfluss von Eresma und Clamores auftürmt.

DAS TAL DER GEFALLENEN. 54 Km von Madrid, 14 Km vom Escorial entfernt. Busliniendienst. Unterirdische Kirche. Monumentales Kreuz (150 m hoch). Kreuzgang. Kloster. Herberge.

Es ist das Nationaldenkmal für die Gefallenen im spanischen Bürgerkrieg; es wurde bei Cuelgamuros errichtet, zwischen dem Escorial und dem Guadarrama.

DIE ROUTE DER STAUSEEN. Auf der Grenze zwischen den Provinzen Guadalajara und Cuenca sind vor nicht allzulanger Zeit zwei Staudämme "Entrepeñas" und "Buendia" gebaut worden, die den Wasserlauf der Flüsse Tajo und Guadiela regeln sollen. Die Stauseen sind durch einen Tunnel miteinander verbunden und zählen mit ihren 2468 mill Kubikmeter zu den bedeutendsten hydrographischen Werken Europas. Der Entrepeñasstausee liegt mitten einer bergigen Landschaft von aussergewöhnlicher Schönheit, während der Stausee von Buendia sich zu einer von sanftabfallenden Hügeln um-

rahmter Wasserfläche (mit 50 Km langer Zunge) ausweitet. In den letzten Jahren hat man hier intensive Wiederaufforstungsarbeit geleistet. Beide Stauseen eignen sich vorzüglich für den Motorboot- und Wasserskisport.

Ausgangspunkt der "Route der Stauseen" ist Guadalajara (gotischer Palast der Duques del Infantado, wird wiederaufgebaut) und führt über der Strasse nach Cuenca nach Sacedón, wo die Strasse nach Buendia abzweigt. Über Pastrana (Palast der Prinzessin Eboli, Colegiata, wertvolle Teppichsammlung aus dem 15 Jh. auf Kartonvorlagen von Nuño Gonçalves gewirkt) ist die Fahrstrecke etwa 20 Km länger.

DISTANCIAS KILOMETRICAS DESDE
MADRID A:
DISTANCES KILOMETRIQUES
DE MADRID A:
DISTANCES IN KILOMETERS
FROM MADRID TO:
ENTFERNUNGEN IN KM.
VON MADRID NACH:

Alcalá de Henares	31
Aranjuez	51
El Escorial	49
La Granja	73
Oropesa	150
Parador de Gredos	172
El Pardo	15
Puerto de Navacerrada	75
Sigüenza	140
Valle de los Caidos	57
Avila	112
Cuenca	165
Guadalajara	56
Segovia	88
Toledo	70
Irún	488

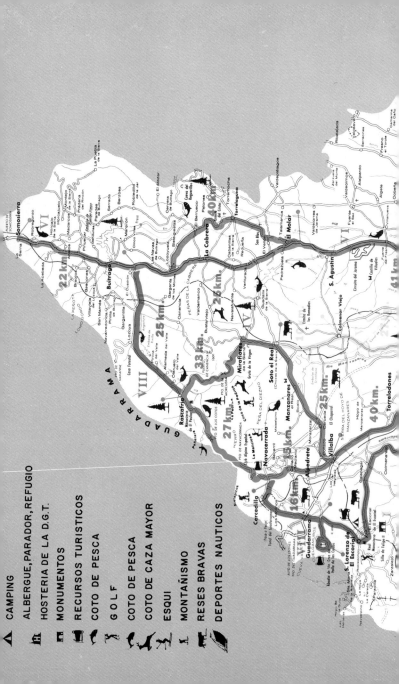

Leyenda

△ CAMPING

🏠 ALBERGUE, PARADOR, REFUGIO

HOSTERIA DE LA D.G.T.

🏛 MONUMENTOS

RECURSOS TURISTICOS

COTO DE PESCA

🏌 GOLF

COTO DE PESCA

COTO DE CAZA MAYOR

⛷ ESQUI

🧗 MONTAÑISMO

RESES BRAVAS

🦆 DEPORTES NAUTICOS